똑 똑 한
하루 어휘

어떤 책인가요?

어휘력
탄탄한 어휘 실력을 다지는 교재
- 쉽고 재미있게 말의 뜻 이해
- 바르고 정확한 어휘를 배우는 교재

말의 감각
말의 감각을 키우는 교재
- 어휘 구조에 대한 이해력 향상
- 유사 어휘를 비교하며 말의 감각을 길러 주는 교재

어휘 탐구
어휘의 확장성을 풍부하게 해 주는 교재
- 다양한 속담, 관용어, 사자성어 수록
- 문맥 속 어휘 활용력을 향상시켜 주는 교재

계획대로만 하면 금방 끝날 거야.

2주

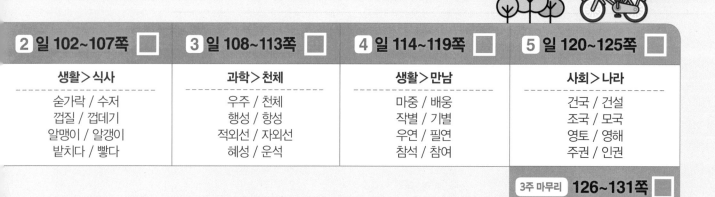

4주

똑똑한 하루 어휘
5단계 Ⓐ
스케줄표

1주

5 일 78~83쪽 ☐	4 일 72~77쪽 ☐	3 일 66~71쪽 ☐	2 일 60~65쪽 ☐
사회〉전쟁	**생활〉병**	**과학〉온도**	**생활〉마음**
침입 / 침탈 전투 / 전략 분쟁 / 논쟁 휴전 / 종전	고뿔 / 오한 감염 / 전염 발병 / 투병 진단 / 처방	섭씨 / 화씨 가열 / 발열 전도 / 대류 단열 / 단열재	이기적 / 이타적 양심 / 본심 배짱 / 숫기 시샘 / 심통

2주 마무리 84~91쪽 ☐
•누구나 100점 TEST •2주 특강

틀린 문제는 다시 한 번 살펴볼까?

3주

1 일 92~101쪽 ☐
국어〉성격
성마르다 / 느긋하다 조바심 / 평상심 경솔하다 / 신중하다 빠릿빠릿하다 / 어리숙하다

4주 마무리 166~171쪽 ☐	5 일 160~165쪽 ☐	4 일 154~159쪽 ☐	3 일 148~153쪽 ☐
•누구나 100점 TEST •4주 특강	**사회〉인구**	**생활〉맛**	**과학 〉 용액**
	저출산 / 고령화 수도 / 수도권 산업화 / 도시화 인구 밀도 / 인구 분포	감칠맛 / 얕은맛 알싸하다 / 씁쓰름하다 시금털털하다 / 매콤짭짤하다 달착지근하다 / 짭조름하다	용해 / 용액 용매 / 용질 혼합물 / 화합물 분해 / 분리

똑똑한 하루 어휘

총 14권

한글

예비초등 A   예비초등 B

예비초등

*권장 대상: 5~7세 예비 초등
한글을 배우는 아동

- 자음자, 모음자, 받침 등 한글 기초 교재
- 붙임 딱지를 붙이며 한글의 짜임을 이해
- 한글을 익히며 자연스럽게 어휘력 키우기

맞춤법 + 받아쓰기

1단계 A, B / 2권

2단계 A, B / 2권

1~2단계

*권장 대상: 초등 1학년 ~ 초등 2학년
한글에 익숙한 예비 초등

- 어휘로 공부하는 받아쓰기 교재
- 소리와 글자가 다른 낱말 집중 학습
- QR을 이용한 실전 받아쓰기

3단계 A, B / 2권

4단계 A, B / 2권

3~4단계

*권장 대상: 초등 3학년 ~ 초등 4학년
어휘력이 필요한 초등 2학년

- 마인드맵, 꼬리물기 어휘 학습
- 주제 어휘, 알쏭 어휘, 교과 어휘,
  한자 어휘 중심
- 어휘의 관계를 중심으로 말의 감각을
  키워 주는 어휘 전문 교재

5단계 A, B / 2권

6단계 A, B / 2권

5~6단계

*권장 대상: 초등 5학년 ~ 초등 6학년
어휘력이 필요한 초등 4학년

- 해시태그(#) 유사 어휘 퀴즈 학습
- 생활 어휘, 교과 어휘, 한자 어휘 중심
- 속담, 관용어, 사자성어를 중심으로 어휘의
  폭을 넓혀 주는, 고학년 어휘 전문 교재

똑 똑 한
하루
어휘

NEW!

5
단계
A
5~6학년

160여 개의 어휘를 공부해요!

하루하루 공부할 어휘와 차례

어휘 공부, 무엇이 중요할까?

'차이'와 '차별'은 어떤 차이가 있을까?
'다른 것'과 '틀린 것'은 어떻게 구분할까?
'주식', '간식', '별식'의 기준은 무엇일까?

우리말을 아무런 불편 없이 사용하고 있지만 위와 같은 질문에 정확하게 대답하기는 쉽지 않아요. 입으로는 어휘를 구사하지만 어휘에 대한 정확한 감각이 숙련되어 있지 않기 때문이에요. '차별'은 '차이'를 이유로 '다르게 대하는 것'이에요. 이것을 이해하면 '차이'는 단지 '다름'을 뜻하지만 '차별'은 사람과의 관계나 대상과 대상 사이에서 일어나는 어떤 현상을 말하는 것임을 알 수 있어요.

똑똑한 하루 어휘 5·6단계 어휘 이해 과정

💡 의미 구분을 통해 어휘의 감각 키우기

'차이'와 '차별'은 어떤 차이가 있을까?

그림에서 제시하는 상황은
차이일까? 차별일까?

이어지는 해시태그를 보니
#구별 #다르게_대우 #싫어요 #남녀○○
아하! 이건 '차별'이로군!

어휘에 대한 감각, 어떻게 키워야 할까요?

어휘의 사전적인 정확한 정의는 몰라도 다른 낱말과의 관계나 사용 예를 통해서 그 뜻을 보다 정확히 이해하고 구분 짓는, 말에 대한 추리력이 어휘에 대한 감각이에요.

어휘에 대한 감각을 키우려면 그 어휘에 대해 보다 깊이 이해하고자 하는 탐구심과 호기심이 있어야 해요. 일상에서 흔히 쓰는 말이라도 다른 어휘와의 관계를 통해 그 뜻을 정확히 구분 지어 보려는 의지가 있어야 어휘에 대한 감각이 자라요.

똑똑한 하루 어휘 5, 6단계는 고학년 학생들의 어휘 감각을 길러 주기 위해 유사 어휘와 속담, 관용어, 사자성어를 중심으로 구성하였어요. 어휘의 차이, 어휘의 숨은 의미에 대해 퀴즈를 풀고, 만화처럼 읽다 보면 나도 모르게 어휘에 대한 감각이 차곡차곡 쌓일 거예요.

속뜻을 찾으며 어휘의 감각 키우기
'작심삼일'은 무슨 말일까?

어떤 어휘를 배우나요?

똑똑한 하루 어휘 5,6단계는 크게 네 가지 성격의 어휘를 배워요.
말의 차이를 배우면서 어휘에 대한 감각을 키워 주는 유사 어휘, 어휘의 숨은 의미를 찾아보는 속담,
의미가 확장되어 쓰이는 관용어, 한자어에 대한 이해를 도와줄 사자성어까지!
해시태그 퀴즈와 재미있는 만화가 여러분의 어휘 공부를 재미있게 도와줄 거예요!

의미 차이를 알면 어휘에 대한 감각이 늘어요!

비난 / 비판

- 말의 재미를 붙여 주는 어휘 학습
- 어휘 해시태그를 통해 어휘의 의미 짐작하기
- 자주 쓰지만 정확히 모르는 어휘 배우기

관용어를 통해 의미 확장에 대한 감각을 키워요!

하늘이 노래지다

- 배운 어휘가 들어간 관용어 익히기
- 어휘와 관용어의 관계 이해하기

유사 어휘

관용어

먼지 외계인

우주여행을 하다가 지구에 불시착한 먼지족들이에요. 전기를 먹고 사는데 지구에 와서 건전지 맛을 본 뒤, 아예 지구를 정복하기로 마음먹었어요. 가장 무서워하는 것은 남주 엄마의 진공청소기라네요.

남주

여주

재미있는 속담을 통해 어휘 활용의 감각을 키워요!

속담

말이란 아 해 다르고 어 해 다르다

- 어휘가 갖는 비유, 상징 배우기
- 속담에 쓰인 고유어 알기
- 속담 활용 예를 통해 자연스러운 어휘 구사 방법 익히기

사자성어를 통해 한자어에 대한 감각을 키워요!

사자 성어

언중유골

- 한자와 어휘의 관계 이해하기
- 비슷한 사자성어의 의미 구분하기
- 적절한 사자성어 활용하기

1주에는 무엇을 공부할까? ①

1일 국어 > 주장

강요 / 강조
긍정 / 부정
비난 / 비판
차이 / 차별

속담 말이란 아 해 다르고 어 해 다르다 / 가마가 솥더러 검정아 한다

사자성어 언중유골 / 언행일치

2일 생활 > 음식

채식 / 소식
나물 / 채소
주식 / 별식
장아찌 / 장조림

사자성어 산해진미 / 십시일반

속담 고기도 먹어 본 사람이 많이 먹는다 / 고기는 씹어야 맛을 안다

3일 과학 > 실험

실험/관찰
색상/색소
측정/예측
가정/가설

속담 물 퍼런 것도 잘 보면 여러 가지라 / 같은 값이면 다홍치마

학설 지동설 / 천동설

1주

4일 생활 > 자세

반듯하다 / 번듯하다
거만 / 자만
대범하다 / 소심하다
의지 / 고집

속담 꼿꼿하기는 개구리 삼킨 뱀(개구리 삼킨 뱀의 배) / 개구리 올챙이 적 생각 못 한다
사자성어 작심삼일 / 자만자족

5일 사회 > 가족

혈연 / 지연
사육 / 양육
친척 / 일가
맏이 / 막내

속담 사촌이 땅을 사면 배가 아프다 / 가까운 남이 먼 일가보다 낫다
사자성어 부전자전 / 난형난제

 **어휘 플러스**

'독불장군'은
어떤 사람을 말하는 걸까?

'강요'와 '강조'는 어떻게 다를까?

강요
―――
강조

*강요는 억지로 시키는 것!

1 다음 중 강요를 하고 있는 듯한 친구는?

정호	수영	강희
자연 환경을 보호하기 위해서 일회용품 사용을 줄이면 좋겠습니다.	나는 자장면을 먹을 테니, 너는 무조건 짬뽕 먹어. 알았어?	이 부분은 매우 중요한 내용이에요. 꼭 기억해 두세요.

(   )

'채식'과 '육식'의 기준은 무엇일까?

채식
―――
육식

*주로 먹는 음식의 종류에 따라 채식과 육식

얘들은 채식이야 육식이야? 전기를 먹으니 전식인가?

2 보기를 채식, 육식과 관계있는 음식으로 구분해 보시오.

보기

토마토 삼겹살
참치 감자

(1) 채식	(2) 육식

1주

사육

양육

*짐승을 먹이고 키우는 것은 양육이 아닌 사육

'사육'하는 것과 '양육'하는 것은 무엇일까?

3 밑줄 그은 '사육'이 가장 어울리는 문장은?·······················(   )

① 댁에서 사육하는 자녀는 몇이나 됩니까?

② 농장에서 사육하는 돼지가 무려 스무 마리나 된다.

③ 졸지에 고아가 된 아이의 사육은 친척 집에 맡겨졌다.

말이란 아 해 다르고 어 해 다르다

*같은 말이라도 곱게 하자

왜 '말이란 아 해 다르고 어 해 다르다' 고 하였을까?

4 토끼의 기분이 상하지 않을 자라의 말은?·······················(   )

① 간을 내놓지 않으면 너는 죽은 목숨이야!

② 너처럼 보잘것없는 짐승이 용궁에 온 것도 행운이 아니더냐?

③ 용왕님의 병에 토끼의 간이 약이라는데 도와줄 수 없을까요?

#주장

Q. 그림과 이어지는 해시태그(#)를 보고 알맞은 어휘를 골라 □에 V표 하시오.

① 강요 □ / 강조 □

지구를 정복해야 한다! 다시 한 번 ○○한다.

#주장 #강하게 #중요_표시 #밑줄_쫙
#꼭_기억해

② 긍정 □ / 부정 □

꼭 그렇게 싸우면서 살아야겠어? 왜 그렇게 ○○적이야?

#주장 #태도 #반대 #싫어 #고개를_설레
설레 #NO!

③ 비난 □ / 비판 □

다 너 때문이야! 네가 운전을 잘못해서 지구에 떨어졌잖아!

이건 ○○인데…

#주장 #상대방 #공격 #기분_나쁘게
#마음_상함 #ㅜㅜ

④ 차이 □ / 차별 □

외계인라고 ○○하는 거야?

아휴~ 너희는 전기만 먹는다며?

#주장 #구별 #다르게_대우 #남녀○○
#싫어요

정답 ① 강조 ② 부정 ③ 비난 ④ 차별

1주

① **강요**

억지로, 또는 강제로 요구하는 것.

예 상대방에게 의사도 묻지 않고 억지로 강 요 해서는 안 된다.

강조

어떤 부분을 특별히 강하게 주장함.

예 주장하는 글을 쓸 때에는, 글의 마지막 부분에서 자신의 주장을 한 번 더 강 조 하는 것이 좋다.

> **Tip_**
> 강조는 단지 강하게 말하는 것. 강요는 상대에게 억지로 시키는 것.

② **긍정**

그러하다고 생각하여 옳다고 인정함. 반의어 부정

예 친구는 내 말을 듣고 긍 정 의 의미로 고개를 끄덕거렸다.

부정

그렇지 않다고 생각하여 반대함. 반의어 긍정

예 매사를 부 정 적으로 생각하는 것은 좋지 않다.

③ **비난**

남의 잘못이나 결점을 책잡아서 나쁘게 말함.

예 상대방을 무조건 비 난 하는 태도는 옳지 않다.

비판

현상이나 사물의 옳고 그름을 판단하여 밝히거나 잘못된 점을 지적함.

예 글의 내용이 객관적이고 정확한지에 대해 판단하며 비 판 적으로 읽어야 한다.

> **Tip_**
> 비난과 비판 모두 잘못을 지적한다는 뜻이 있지만 비난은 상대에 대해 나쁘게 말한다는 차이가 있음.

④ **차이**

서로 같지 않고 다름. 또는 그런 정도나 상태.

예 피부색이 다른 것은 단지 '차 이'일 뿐이다.

차별

둘 이상의 대상을 각각 등급이나 수준 따위의 차이를 두어서 구별함.

예 피부색이 다르다고 차 별 해서는 안 된다.

> 차이: 다르다, 다른 점
> 차별: 다르게 대우하는 것.

#주장 #속담

Q. 그림과 이어지는 해시태그(#)를 보고 알맞은 속담을 골라 □에 V표 하시오.

말이란 아 해 다르고 어 해 다르다 □ / 가마가 솥더러 검정아 한다 □

#주장 #말말말 #속담 #하는_말 #같은_말도 #달리_들리지 #이왕이면_말을_곱게

말이란 아 해 다르고 어 해 다르다

말이란 같은 내용이라도 표현하는 데 따라서 아주 다르게 들린다는 말. 즉 이왕이면 곱고 좋은 말을 골라 쓰자는 뜻.

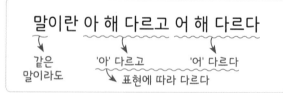

말이란 아 해 다르고 어 해 다르다

| 같은 말이라도 | '아' 다르고 | '어' 다르다 |

표현에 따라 다르다

너 언제까지 청소 안 하고 잠만 잘 거야? 얼른 안 해?

말이란 아 해 다르고 어 해 다르다고 했어. 같은 말이라도 좀 부드럽게 할 수 없어?

가마가 솥더러 검정아 한다

더 시꺼면 가마솥이 덜 시커먼 솥을 보고 검다고 한다는 말로 제 흉은 모르고 남의 잘못만 흉보는 것을 비유하는 말.

가마가 솥더러 검정아 한다

| 더 시커 먼 것이 | 덜 시커먼 것에게 | 아유 까매~ 흉본다 |

우헤헤, 너 왜 이렇게 까매?

어이없군.

정답 말이란 아 해 다르고 어 해 다르다

Q. 그림과 이어지는 해시태그(#)를 보고 알맞은 사자성어를 골라 ☐에 V표 하시오.

언중유골 ☐ /언행일치 ☐

#말 #사람이_하는_말 #특성 #말_속에 #뼈가_있어 #곰곰_생각하면 #속뜻이_있다

언중유골	언행일치
말 속에 뼈가 있다는 뜻으로, 예사로운 말 속에 단단한 속뜻이 들어 있음을 이르는 말.	말과 행동이 하나로 일치함. 또는 말한 대로 행동함.

言 中 有 骨
말씀 **언** 가운데 **중** 있을 **유** 뼈 **골**
말 속에 → 뼈가 있다.

言 行 一 致
말씀 **언** 행할 **행** 하나 **일** 이를 **치**
말과 행동이 → 하나가 되다.

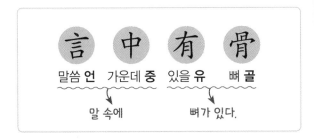

언중유골이라고, 말 속에 뼈가 있다고 했어요. 선생님 말씀 깊이 새겨들으세요.

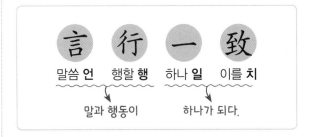

말과 행동이 다르면 그 사람을 누가 믿어 주겠습니까? 언행일치!

자연 보호~

정답 언중유골

1 빈칸에 알맞은 말을 보기에서 골라 써넣으시오.

보기

강요　　긍정　　부정　　비난　　차별

(1) 뒤에서 남을 헐뜯고 □□하는 태도는 옳지 않다.

(2) 지은이는 시후의 말을 듣고 잘못된 점을 이야기하며, □□적인 반응을 보였다.

(3) 성별의 차이 때문에 □□해서는 안 된다.

(4) 상대가 하기 싫어하는 일을 억지로 □□해서는 안 된다.

2 다음과 같은 뜻을 가진 낱말을 쓰시오.

> 뜻 어떤 부분을 특별히 강하게 주장하거나 두드러지게 함.
> 예 이 내용은 아주 중요하니까 다시 한 번 ○○해서 말하겠습니다.

(　　　　　　　　　)

3 다음은 '비판'에 대한 뜻입니다. 첫 자음자와 뜻을 살펴보고 ❶과 ❷에 들어갈 알맞은 낱말을 쓰시오.

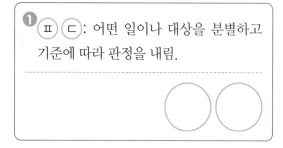

비판　　　현상이나 사물의 옳고 그름을 ❶ㅍ ㄷ하여 밝히거나 잘못된 점을 ❷ㅈ ㅈ함.

❶ ㅍ ㄷ : 어떤 일이나 대상을 분별하고 기준에 따라 판정을 내림.

❷ ㅈ ㅈ : 꼭 집어서 가리킴. 잘못 따위를 드러내어 말함.

4 다음 이야기를 읽고, 관련된 속담으로 알맞은 것을 고르시오. ·······( )

> 사람들이 바쁘게 오가는 시장에 작은 푸줏간이 있었어요. 푸줏간 주인인 돌쇠는 아침 일찍부터 가게 문을 열고 고기를 손질했어요. 그때, 윗마을에 사는 김 부자가 어슬렁어슬렁 가게 안으로 들어왔어요.
>
> "야, 이놈. 돌쇠야! 고기 한 근 썰어라."
>
> 욕심 많기로 소문난 김 부자가 쩌렁쩌렁 큰 소리로 돌쇠에게 고기를 달라고 했어요. 돌쇠는 고기를 종이에 둘둘 말아 던지듯 내밀었어요.
>
> 때마침 아랫마을 최 부자도 고기를 사러 왔어요.
>
> "이 서방, 잘 지냈는가? 저 고기로 한 근 주면 고맙겠네!"
>
> 최 부자는 들어서자마자 활짝 웃으며 고기를 달라고 정중하게 부탁했어요. 돌쇠는 최 부자가 고른 고기를 큼지막하게 썰어 주었어요. 그러자 옆에 있던 김 부자가 자신의 고기와 최 부자의 고기를 번갈아 쳐다보더니, 돌쇠에게 갑자기 화를 버럭 냈어요.
>
> "야, 이놈아! 사람 차별하느냐? 같은 한 근인데 왜 저 사람 것이 더 큰 거야?"
>
> 그러자 돌쇠는 김 부자에게 이렇게 말했어요.
>
> "저건 이 서방이 주는 한 근이고, 그건 돌쇠 놈이 준 한 근이라서 그렇습니다."
>
> 김 부자는 아무 말도 못하고 집으로 돌아가고 말았답니다.

① 작은 고추가 맵다 ② 누워서 떡 먹기 ③ 호랑이도 제 말 하면 온다

④ 소 잃고 외양간 고친다 ⑤ 말이란 아 해 다르고 어 해 다르다

5 다음 사자성어와 관련 있는 설명을 선으로 이으시오.

(1) 언중유골 •

(2) 언행일치 •

• ㉠ 말과 행동이 하나를 이룸.

• ㉡ 말 속에 단단한 속뜻이 담겨 있음.

6 다음 보기 의 속담과 관련된 설명을 골라 ○표 하시오.

> **보기**
>
> 가마가 솥더러 검정아 한다

(1) 제 잘못은 모르고 남의 잘못만 흉을 본다는 말 ( )

(2) 늘 말하던 것이 마침내 사실대로 되었을 때를 이르는 말 ( )

#음식

Q. 그림과 이어지는 해시태그(#)를 보고 알맞은 어휘를 골라 ☐에 V표 하시오.

① 채식 ☐ / 소식 ☐

#음식 #식습관 #다이어트 #적게_먹기
#배고픔 #내_앞에서_먹방_금지!

② 나물 ☐ / 채소 ☐

#음식 #먹거리 #식물 #밭에서_기르는
#배추 #무 #상추

③ 주식 ☐ / 별식 ☐

#음식 #종류 #밥_말고 #먹을거리 #피자
#떡볶이 #국수 #아이_좋아!

④ 장아찌 ☐ / 장조림 ☐

#음식 #밑반찬 #마늘_양파_오이 #간장
에_절여 #삼겹살_친구

정답 ① 소식 ② 채소 ③ 별식 ④ 장아찌

1

채식

고기류를 피하고 주로 채소, 과일, 해초 따위의 식물성 음식만 먹음.
예 채 식 만 하면 몸에 필요한 영양분을 섭취하기가 어려울 수 있다.

소식

음식을 적게 먹음. 반의어 대식. 음식을 많이 먹음.
예 건강하려면 소 식 을 하는 것이 좋다.

Tip_
채식은 육식(고기를 주로 먹는 것)과 상대되는 말. 소식은 대식(많이 먹는 것)과 상대되는 말.

1주

2

나물

고사리, 도라지와 같이 사람이 먹을 수 있는 풀이나 나뭇잎 따위를 통틀어 이르는 말.

채소

밭에서 기르는 농작물. 주로 그 잎이나 줄기, 열매 따위를 먹음.

나물
▲쑥　▲고사리　▲냉이

채소
▲무　▲배추　▲고추

3

주식

밥이나 빵과 같이 끼니에 주로 먹는 음식.
예 우리 민족은 쌀을 주 식 으로 한다.

별식

늘 먹는 음식과 다르게 만든 색다른 음식.
예 오늘 저녁은 별 식 으로 칼국수를 만들어 먹자.

Tip_
'간식'은 끼니와 끼니 사이에 먹는 음식
예 아침 먹은 지가 언젠데 벌써 간식으로 빵을 먹니?

4

장아찌

오이, 무, 마늘 따위의 채소를 간장이나 소금물에 담가 놓거나 된장, 고추장에 박았다가 조금씩 꺼내 양념하여 오래 두고 먹는 음식.

장조림

간장에다 쇠고기를 넣고 조린 반찬. 요즘은 쇠고기뿐만 아니라 돼지고기, 달걀 등 다양한 재료를 간장에 넣어 조린 것을 통틀어 이름.

장아찌는 재료를 간장에 담가 놓지만 장조림은 재료를 간장에 넣어 조린다는 차이가 있어!

#음식 #사자성어

Q. 그림과 이어지는 해시태그(#)를 보고 알맞은 사자성어를 골라 □에 V표 하시오.

산해진미 □ / 십시일반 □

#음식 #식사 #배고파 #열_숟가락_모으면 #한_그릇_되지 #조금씩_모으면 #돕기_쉬워!

산해진미

산과 바다에서 나는 온갖 진귀한 물건으로 차린, 맛이 좋은 음식. 그만큼 귀하고 먹음직스러운 밥상을 이르는 말.

山 海 珍 味
메 산 · 바다 해 · 보배 진 · 맛 미

산과 바다에서 나는 · 보배롭고 맛있는 음식!

우아!
산해진미로구나!

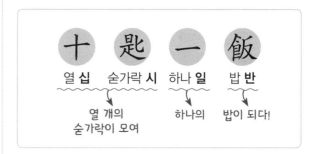

십시일반

밥 열 술(손가락)이 한 그릇이 된다는 뜻으로, 여러 사람이 조금씩 힘을 합하면 한 사람을 돕기 쉬움을 이르는 말.

十 匙 一 飯
열 십 · 숟가락 시 · 하나 일 · 밥 반

열 개의 숟가락이 모여 · 하나의 · 밥이 되다!

십시일반의 마음으로 조금씩 모으면
어려운 이웃을 도울 수 있어요!

정답 십시일반

Q. 그림과 이어지는 해시태그(#)를 보고 알맞은 속담을 골라 ☐에 V표 하시오.

고기도 먹어 본 사람이 많이 먹는다 ☐ / 고기는 씹어야 맛을 안다 ☐

#음식 #식사 #고기_좋은데 #줘도_못_먹음 #하던_사람이 #하던_대로_해야 #경험이_중요!

고기도 먹어 본 사람이 많이 먹는다

무슨 일이든지 늘 하던 사람이 더 잘한다는 말로 경험이 있는 사람이 낫다는 말. 비슷한 속담으로 '떡도 먹어 본 사람이 먹는다'가 있음.

고기도 먹어 본 사람이 많이 먹는다

무슨 일이든 / 그전에 해 왔던 사람이 / 그 일을 더 잘한다.

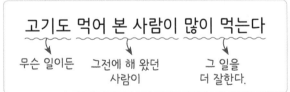

고기도 먹어 본 사람이 많이 먹는다고

경험이 아주 중요하다는 말씀!

고기는 씹어야 맛을 안다

겉으로만 핥아서는 그 진짜 맛을 모른다는 말. 무엇이든 바로 알려면 실제로 겪어 보아야 한다는 뜻.

고기는 씹어야 맛을 안다

무엇이든 / 직접 해 보아야 / 알 수 있다.

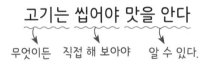
시금치는 맛없어요. 먹기 싫어요.

고기는 씹어야 맛을 안다고 했어. 한번 먹어 보고 나서 맛이 있는지 없는지 말하렴.

정답 고기도 먹어 본 사람이 많이 먹는다

1 빈칸에 들어갈 알맞은 말을 **보기** 에서 골라 쓰시오.

> **보기**
>
> 나물　　　주식　　　채소　　　별식

(1) 봄이 되면 들에서 두릅이나 냉이와 같은 ☐☐ 을 캐어 무침을 만들어 먹는다.

(2) 요즘은 밭에 농약이나 비료를 사용하지 않고 기른 무공해 ☐☐ 가 인기가 좋다.

(3) 아시아에서는 주로 쌀을 ☐☐ 으로 하고 유럽에서는 밀을 ☐☐ 으로 한다.

(4) 매일 같은 메뉴만 먹었으니 오늘은 ☐☐ 으로 국수를 먹는 게 좋겠어.

2 다음 문장의 밑줄 그은 부분을 대신할 수 있는 낱말을 쓰시오.

> 몸무게를 줄이려면 ① 고기를 주로 먹든 ② 채소를 주로 먹든 ③ 적게 먹어야지.

① ☐☐ 을 하든 ② ☐☐ 을 하든 ③ ☐☐ 을 해야지.

3 다음 중 '간식'의 뜻으로 가장 알맞은 것은 어느 것입니까? ⋯⋯⋯⋯⋯⋯⋯⋯⋯⋯⋯⋯⋯⋯⋯ (　)

① 매 끼니마다 먹는 음식　　　　　　② 사람들이 먹기 싫어하는 음식

③ 끼니와 끼니 사이에 먹는 음식　　　④ 어쩌다 가끔 해 먹는 별난 음식

⑤ 사람들이 주로 먹고 싶어 하는 음식

4 장아찌와 장조림의 요리 방법을 생각하며 다음 음식의 이름을 쓰시오.

장아찌	재료를 간장이나 소금물에 담가 놓고 먹는 것.
장조림	재료를 간장에 넣고 열을 가하여 조린 것.

(1) 익히지 않은 고추를 간장에 담근 음식.

고추 ◯◯◯

(2) 삶은 계란을 간장에 넣어 충분히 조린 음식.

계란 ◯◯◯

5 다음 이야기의 밑줄 그은 부분에서 떠올릴 수 있는 말은 무엇입니까? ·············(　　)

> 이반의 부모는 학교 담장에 걸려 있는 아들의 그림을 보고 생각을 바꾸었다. 이반의 소원대로 이반을 이번 가을에 열리는 주 미술 대회에 보내기로 하였다. 이반의 부모는 기회가 되는 대로 돈을 모았지만 이반을 대회에 보내기 위해서는 아직도 한참이나 부족했다. 이반의 부모는 아들의 꿈을 무시했던 것이 아니었다. 그들의 형편이 이반을 돕기에는 부족하다는 것을 너무나 잘 알고 있었고 또 그런 상황에 아들이 실망하지는 않을까 이반의 바람을 모른 척했던 것이다. 하지만 가난한 농가의 벌이로 하루 먹거리 이상의 돈을 구한다는 것은 쉽지 않은 일이었다.
>
> 미술 대회를 한 달 앞둔 어느 날, 알리사 선생님은 전깃불도 잘 들어오지 않는 이반의 집을 찾아왔다. 알리사 선생님은 이반의 부모와 잠깐 인사를 나누더니 웬 봉투 하나를 식탁에 올려 두고 황급히 떠났다. 봉투에는 대회 참가비에 해당하는 돈과 알리사 선생님의 편지가 들어 있었다.
>
> <u>이반, 선생님과 친구들이 너를 대회에 보내려고 조금씩 모았단다.</u> 너무 부담스럽게 여기지 말고 너를 사랑하는 사람들의 마음이라 생각하고 받아 주었으면 좋겠구나. 좋은 성적이 아니어도 좋으니까 네가 그리고 싶은 그림을 마음껏 그린다면 선생님과 친구들은 그것으로 만족할 수 있을 것 같다.
>
> 이반과 식구들은 알리사 선생님의 편지를 읽고 눈시울이 붉어졌다.

① 죽마고우　　　② 고진감래　　　③ 마이동풍　　　④ 십시일반　　　⑤ 사생결단

6 다음 속담과 관련 있는 설명을 선으로 이으시오.

(1) 고기는 씹어야 맛을 안다 ・　　　　・① 무슨 일이든지 늘 하던 사람이 더 잘한다.

(2) 고기도 먹어 본 사람이 많이 먹는다 ・　　　　・② 무엇이든 바로 알려면 실제로 겪어 보아야 한다.

7 다음 중 '산해진미'가 가장 어울리는 식탁에 ○표 하시오.

(1)
(　　)

(2)
(　　)

(3)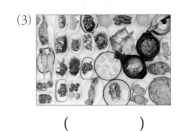
(　　)

#실험

Q. 그림과 이어지는 해시태그(#)를 보고 알맞은 어휘를 골라 □에 V표 하시오.

① 실험 □ / 관찰 □

애들을 뭉치면 어떻게 될까?
○○을 해 보자.

안 돼! 우리가 뭉치면 사방의 먼지가 달라붙는다고!

#과학 #과학실 #실제로 #해_봄
#비커_스포이트는_○○기구

② 색상 □ / 색소 □

○○이 진해졌는데?

색이 변한 게 아니라 먼지가 달라붙은 거잖아!

#관찰 #대상 #모습 #컬러 #색깔
#빨강_노랑_파랑

③ 측정 □ / 예측 □

음, 공기가 깨끗해졌을 거라 ○○할 수 있겠어.

우리가 청소기냐?

깨끗

#실험 #결과_바탕 #일어날_일
#미리_예상 #점쟁이가_하는_일?

④ 가정 □ / 가설 □

수많은 먼지인이 우리와 함께 산다고 ○○해 보았습니다.

깨끗한 지구 미세먼지 완벽해결! 먼지인의 청소효과!

오~요!!

#관찰 #조건 #만약에 #이렇고_저렇다면?
#임시로_인정함

정답 ① 실험 ② 색상 ③ 예측 ④ 가정

1주

①

실험

실제로 해 봄. 또는 그렇게 하는 일. 과학에서 이론이나 현상을 관찰하고 측정하는 일.

예 에디슨은 수많은 실험을 통해 전등을 발명했다.

관찰

사물이나 현상을 주의하여 자세히 살펴봄.

예 물을 주고 콩나물의 변화를 관찰해 봅시다.

▲ 관찰

②

색상

빨강, 노랑, 파랑 따위로 구분짓게 하는, 색 자체가 갖는 고유의 특성. 색깔.

예 저 밝은 색상의 옷이 더 잘 어울려요.

색소

물체의 색깔이 나타나도록 해 주는 성분.

예 이 음료수는 천연 색소를 사용하여 안전하게 마실 수 있습니다.

▲ 푸른 색상의 색소로 사용되는 쪽

③

측정

무게, 깊이, 길이와 같은 것의 크기를 잼.

예 이 연못의 바깥쪽 깊이는 측정 결과 3미터였다.

예측

미리 헤아려 짐작함.

예 이 연못의 안쪽 깊이는 적어도 3미터 이상이 될 것이라 예측할 수 있다.

측정한 값이 예측한 거랑 많이 다르네.

④

가정

사실이 아니거나 또는 사실인지 아닌지 분명하지 않은 것을 임시로 인정하는 것.

예 만약 지구가 커다란 운석에 부딪힌다고 가정해 보자.

가설

어떤 사실을 설명하기 위한 가정이나 이론.

예 여러 가설 중 실험을 통해 검증이 된 것만 진리로 인정을 받는다.

Tip_

가정은 어떤 사실을 임시로 인정하는 것, 가설은 그러한 가정을 바탕으로 만들어지는 설명이나 이론.

#관찰 #속담

Q. 그림과 이어지는 해시태그(#)를 보고 알맞은 속담을 골라 ☐에 V표 하시오.

물 퍼런 것도 잘 보면 여러 가지라 ☐ / 같은 값이면 다홍치마 ☐

> 하늘은 파랗고 해바라기는 노랗지 않아요?

> 자세히 잘 관찰해 보렴. 깊이 들여다보면 같은 게 하나도 없단다.

#과학 #색상 #관찰 #자세히 #깊게 #얼른_보면_비슷하지만 #따져_보면_달라 #쌍둥이도_달라

물 퍼런 것도 잘 보면 여러 가지라

파랗게만 보이는 물도 자세히 보면 여러 가지로 다를 수 있다는 뜻으로 무엇이든 얼른 보아서는 비슷하게 보이지만 자세히 따져 보면 같은 것이 없음을 이르는 말.

물 퍼런 것도 잘 보면 여러 가지라

| 같게 보이는 것도 | 자세히 살펴보면 | 그 차이를 알 수 있다 |

> 영식이 영남이는 쌍둥이라 성격이 비슷하지 않아요?

> 물 퍼런 것도 잘 보면 여러 가지라고, 쌍둥이라도 다른 면이 아주 많아.

같은 값이면 다홍치마

값이 같거나 같은 노력을 한다면 품질이 더 좋은 것을 택한다는 말.
*다홍치마: 짙고 산뜻한 붉은빛 치마.

같은 값이면 다홍치마

| 같은 값이거나 조건이 같으면 | 조금이라도 더 좋은 것을 선택 |

> 같은 값이면 다홍치마라고, 조금이라도 더 빨간 게 맛있을 것 같아요.

정답 물 퍼런 것도 잘 보면 여러 가지라

Q. 그림과 이어지는 해시태그(#)를 보고 알맞은 학설(이론, 가설)을 골라 ☐에 V표 하시오.

🐰 지동설 ☐ / 천동설 ☐

이봐 갈릴레이. 해가 동쪽에서 떠서 서쪽으로 지는 걸 두 눈으로 보지 않나? 그럼에도 계속 ○○○을 주장할 건가?

지구에서 살고 있는 우리에겐 태양이 돌고 있는 것처럼 보일 뿐이지요. 태양이 중심이고, 지구는 그 주위를 돌고 있습니다.

♡ ◯ ◁   ▱

#관찰 #우주 #지구가_돌고 #나도_돌고 #그래서 #태양이_도는_것처럼 #보인다

지동설	천동설
지구가 자전하면서 태양의 주위를 돈다는 설. 지동설에서는 태양이 중심. 코페르니쿠스와 갈릴레이에 의해 주장됨.	우주의 중심이 지구이고 태양과 별은 지구의 둘레를 돈다는 학설. 지금은 비과학적인 학설로 입증됨.

地 動 說
땅 지 / 움직일 동 / 말씀 설
↓ / ↓ / ↓
지구가 / 움직인다는 / 학설, 이론

天 動 說
하늘 천 / 움직일 동 / 말씀 설
↓ / ↓ / ↓
하늘이 / 움직인다는 / 학설, 이론

아휴, 힘들어. 왜 내가 돌지?

그야 지동설 이니까!

▲ 지동설

난 역시 센터가 어울려!

태양이 돌다니! 말도 안 돼.

▲ 천동설

정답 지동설

1 다음 문장의 빈칸에 들어갈 가장 적절한 말을 보기에서 골라 쓰시오. (보기의 낱말은 한 번씩 쓰임.)

보기
> 예측   실험   관찰   측정

(1) 햇빛이 식물에 미치는 영향을 알아보기 위한 ☐☐을 하겠습니다.

(2) 두 식물이 자라는 모습을 자세히 ☐☐합니다.

(3) 두 식물이 자란 크기를 자로 정확히 ☐☐하여 기록해 둡니다.

(4) 식물에 그늘을 드리우면 자라는 속도가 느려질 것이라고 ☐☐할 수 있습니다.

2 다음 문장의 빈칸에 '색소'나 '색상'을 써넣으시오.

> '쪽빛'은 짙은 푸른빛이다. '쪽'이라는 풀의 잎을 ☐☐로 사용하여
>
> 짙푸른 ☐☐의 물감을 만들 수 있다.

3 다음은 '가정'의 뜻입니다. 첫 자음자와 뜻을 살펴보고 ❶과 ❷에 들어갈 알맞은 낱말을 쓰시오.

> **가정**
>
> 사실이 아니거나 또는 사실인지 아닌지
> 분명하지 않은 것을 ❶◯ㅅ로 ❷◯ㅈ함.

❶◯ㅅ : 미리 정하지 않은 잠시 동안.
例 ◯ㅅ로 지낼 곳을 마련하다.
◯◯

❷◯ㅈ : 그렇다고 여김.
例 무죄를 ◯ㅈ받다.
◯◯

[4~5] 다음 글을 읽고 물음에 답하시오.

1
주

> 이탈리아의 천문학자였던 갈릴레이는 당시 발명된 망원경으로 *천체의 움직임을 관찰하여 달의 공전이나 목성 주위를 도는 위성을 직접 두 눈으로 확인하였고 코페르니쿠스의 지동설이 옳다고 주장하였다. ㉠ 지구가 고정되어 있고 천체가 지구를 돈다면 설명하기가 더욱 복잡해지는 행성의 움직임이, 코페르니쿠스의 지동설에서는 아주 쉽게 설명되었던 것이다. 점차 자신의 생각이 분명해지자 갈릴레이는 두 사람의 대화 형식을 빌려 천동설과 지동설에 대한 책을 썼는데, 결국 그는 이 책으로 인해 종교 재판을 받게 된다.
>
> 당시 종교에서 신이 창조한 지구는 우주의 중심이어야 했고 그것이 신의 거룩한 뜻이라 여겼기 때문에 지구가 태양을 돈다는 주장은 신의 권위에 도전하는 것이나 다름이 없었다.
>
> 1633년 로마에서 열린 종교 재판에서 태양이 중심에 있고 지구가 태양을 돈다는 갈릴레이의 ㉡ (은)는 명백히 *이단이며 그에 따른 처벌을 받아야 할 것이라고 선고한다. 다만 당시 갈릴레이는 70이 넘는 고령이었고 그가 성실한 신앙을 가지고 있기 때문에 자신이 주장한 지동설을 부정한다면 그 죄를 면하게 해 줄 것임을 밝혔다.
>
> 결국 갈릴레이는 자신의 지동설이 틀렸으며 다시는 그와 관련된 주장을 하지 않을 것임을 맹세한다. 그럼에도 불구하고 갈릴레이는 재판장을 나오면서 그래도 지구는 움직인다고 중얼거렸다고 한다.
>
> *천체: 우주에 존재하는 모든 물체.
> *이단: 종교의 교리에 어긋나는 이론이나 행동.

4 ㉠과 관련된 학설을 윗글에서 찾아 쓰시오.

(   )

5 ㉡에 들어갈 말로 가장 알맞은 것은 어느 것입니까? ⋯⋯⋯⋯⋯⋯⋯⋯⋯⋯⋯⋯ (   )

① 가설   ② 정설   ③ 실험   ④ 측정   ⑤ 진리

6 다음 속담과 관련 있는 설명을 선으로 이으시오.

(1) | 같은 값이면 다홍치마 | •   • ① | 같은 조건이면 조금이라도 나은 것을 선택한다. |

(2) | 물 퍼런 것도 잘 보면 여러가지라 | •   • ② | 비슷해 보이는 것도 자세히 따져 보면 같지 않다. |

#자세

Q. 그림과 이어지는 해시태그(#)를 보고 알맞은 어휘를 골라 □에 V표 하시오.

① 반듯하다 □ / 번듯하다 □

지구정복 팔씨름 대회

오 와 앙~!!

인간들에게 위대한 먼지족의 힘을 보여 주자! 먼지족은 우주 최강이야!

오오~ 아주 ○○한 생각이야.

#자세 #태도 #착한_생각 #바람직해
#올곧음 #바른_생활_사나이

② 거만 □ / 자만 □

뭐야 얘는? 이렇게 살만 쪄서 내 상대나 되겠어?

지구정복 팔씨름 대회

큭큭! 너 팔뚝 굵다!

태도가 너무 ○○한데?

#자세 #태도 #잘난_척 #어깨_쫙 #으쓱
으쓱 #내가_제일_잘나가 #상대_무시

③ 대범하다 □ / 소심하다 □

지구정복 팔씨름 대회

내가? 나가? 팔 부러지면 어떡해? 허리 다치면? 기절하면 어떡해?

왜 이렇게 ○○해?

#자세 #태도 #겁쟁이 #무서워요
#걱정_반_근심_반 #마음이_아주_작아

④ 의지 □ / 고집 □

저, 저거! 저거 사야 한다고! 다시 해! 한 판 더!

노포초성

○○ 좀 그만 부려! 우린 졌다고!

질 질 질

#자세 #태도 #성격 #성미 #버티기
#떼쓰기 #저거_안_사_주면_집에_안_가

정답 ① 반듯하다 ② 거만 ③ 소심하다 ④ 고집

①

반듯하다

생각이나 행동 따위가 비뚤어지거나 굽지 않고 바르다.
예 반듯 한 생각과 자세.

번듯하다

생김새가 훤하고 멀끔하다(깨끗하다).
예 번듯 하게 차려입은 남자.

생각·행동 ── 반듯하다

생김새 ── 번듯하다

예 차림새는 번듯한데 행동은 반듯하지 않군.

---

②

거만

잘난 체하며 남을 업신여기는 데가 있음.
예 자기만 잘났다고 다른 사람을 무시하는 것은 거만 한 태도이다.

자만

자신이나 자신과 관련된 것을 스스로 자랑하며 뽐냄.
예 자만 하다 보면 실수하기 마련이다.

너희들이 뭘 알아?

▲ 거만한 태도

Tip_
'거만'과 '자만' 모두 자신감을 드러내는 말이지만 '거만'은 남을 업신여긴다는 의미가 강함.

---

③

대범하다

성격이나 태도가 사소한 것에 얽매이지 않으며 너그럽다.
예 대범 한 성격이라 걱정은 하지 않는다.

소심하다

대담하지 못하고 조심성이 지나치게 많다.
예 소심 한 성격이라 사소한 걱정에도 잠을 자지 못한다.

大 凡 ── 크고 전체를 보는 마음
큰 대 무릇 범

小 心 ── 작고 좁은 마음
작을 소 마음 심

---

④

의지

어떠한 일을 이루고자 하는 마음.
예 의지 가 굳세다. 의지 가 강하다.

고집

자기의 의견을 바꾸거나 고치지 않고 굳게 버티는 성미.
예 고집 을 부리다. 고집 을 피우다.

Tip_
'의지'는 주로 긍정적인 태도를 가리키는 반면, '고집'은 주로 부정적인 태도를 가리킬 때 쓰임.

고집 좀 그만 부려라. ○
의지 좀 그만 부려라. ×

#자세 #속담

Q. 그림과 이어지는 해시태그(#)를 보고 알맞은 속담을 골라 ☐에 V표 하시오.

꼿꼿하기는 개구리 삼킨 뱀 ☐ / 개구리 올챙이 적 생각 못 한다 ☐

#자세 #태도 #마음 #자만심 #잘난_척 #부끄러운_과거는 #잊어_주세요

꼿꼿하기는 개구리 삼킨 뱀

보기와는 달리 꼿꼿하고 고집이 센 사람을 비유적으로 이르는 말.

꼿꼿하기는 개구리 삼킨 뱀

꼿꼿하고 굳센 성미가 → ← 개구리 삼킨 뱀 같다

이 대감은 사소한 잘못도 지나치지 않는 분이야. 꼿꼿하기는 개구리 삼킨 뱀처럼 대쪽 같으시지.

개구리 올챙이 적 생각 못 한다

지난날의 부족하고 어렵던 때의 일을 생각지 아니하고 처음부터 잘난 듯이 뽐냄을 비유적으로 이르는 말.

개구리 올챙이 적 생각 못 한다

올챙이 때의 부끄러운 모습은 생각 안 하고 → ← 지금의 모습만 잘난 체한다.

올챙이? 그게 뭐야?　먹는 건가?

정답 개구리 올챙이 적 생각 못 한다

#자세 #사자성어

Q. 그림과 이어지는 해시태그(#)를 보고 알맞은 사자성어를 골라 ☐에 V표 하시오.

작심삼일 ☐ / 자만자족 ☐

#자세 #태도 #마음먹어_봤자 #의지가_약해 #3일이면 #나름_최선 #ㅜㅜ

작심삼일

단단히 먹은 마음이 사흘을 가지 못한다는 뜻으로 결심이 굳지 못함을 이르는 말.

作	心	三	日
지을 **작**	마음 **심**	석 **삼**	날 **일**

마음먹은 것이 → 고작 3일 감

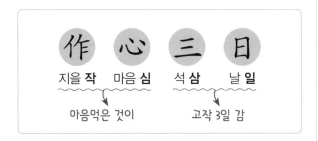

〈하루〉 〈이틀〉 〈사흘〉

자만자족

스스로 만족스럽고 자랑스럽게 여겨 뽐내고 흡족해함.

自	慢	自	足
스스로 **자**	거만할 **만**	스스로 **자**	만족할 **족**

스스로 거만하고 스스로 만족하다

뭐, 이 정도면 됐지.

조금 이루었다고 자만자족하지 말고 더 열심히 노력하세요!

정답 작심삼일

1 다음 인물의 태도와 관련된 말을 보기에서 골라 쓰시오.

보기
소심하다 　　　 거만하다 　　　 대범하다

(1) 토끼는 숲에서 자신이 가장 빠르다고 자랑했다. 그리고 거북을 향해 느림보 거북이라고 놀렸다.

토끼
:

(2) 직원이 물을 쏟아 선생님의 옷이 젖었다. 선생님은 미안해하는 직원에게 신경 쓰지 말라며 휴지로 옷을 닦았다.

선생님
:

(3) 얼룩 강아지는 다른 강아지들과 놀고 싶었다. 하지만 자신의 얼룩무늬 때문에 따돌림을 당할까 봐 선뜻 말을 걸지 못했다.

얼룩 강아지
:

2 다음 문장의 빈칸에 공통으로 들어갈 말은 어느 것입니까? ⋯⋯⋯⋯⋯⋯⋯⋯⋯⋯ (　　　)

• 호철이는 항상 행동이 (　　　)해서 따르는 친구들이 많다.
• 동생은 잠을 잘 때 (　　　)한 자세로 잔다.
• 종이에 작은 사각형을 (　　　)하게 그려 주세요.

① 깨끗 　　　 ② 번듯 　　　 ③ 아름 　　　 ④ 아담 　　　 ⑤ 반듯

3 '의지'와 '고집' 중 ○○에 들어갈 더 자연스러운 말은 어느 것인지 선으로 이으시오.

(1) 제 뜻대로만 하려는 ○○쟁이 •

(2) 말도 안 되는 ○○은(는) 그만 피워라. •

• ㉠ 의지

(3) 좋은 성적을 거두겠다는 ○○이(가) 강하다. •

• ㉡ 고집

(4) 그렇게 ○○이(가) 약해서 무슨 일을 하겠니? •

4 다음 글의 이순신과 관련 있는 속담은 어느 것입니까? ·····················( )

> 이순신 장군은 지금의 고흥군 도화면 발포라는 곳에서 '만호'라는 벼슬을 하고 있었습니다. 옛날에는 해군을 '수군'이라 하였는데, 이순신 장군이 바다를 지키는 수군과 처음 인연을 맺게 된 것도 바로 이때부터입니다.
> 어느 날 중앙 관아의 심부름꾼이 이순신을 찾아와 수군 부대 뜰에 있는 오동나무를 베어 가겠다고 말합니다.
> "누구의 명으로 오동나무를 베어 가겠다는 것이냐?"
> "전라좌수사의 명입니다."
> 전라좌수사는 전라 지역의 수군을 관리 감독하는 벼슬로, 당시 만호에 지나지 않던 이순신에게는 바로 위 상관에 해당하는 벼슬입니다.
> "어디에 쓰시겠다고 하더냐?"
> "오동나무로 거문고를 만든다고 하셨습니다."
> 예부터 오동나무는 재질이 강하고 단단하여 장이나 소반 등 여러 가구를 만드는 재료로 사용되어 왔습니다. 특히 오동나무는 소리를 울리는 힘이 좋아 가야금이나 거문고, 비파와 같은 악기를 만드는 데 제격이었다고 합니다. 자신의 상관이 거문고를 만들기 위해 오동나무를 베어 오라 하였다는 말에 이순신은 버럭 화를 냅니다.
> "왜구의 침략이 빈번한 이 시기에 거문고를 만들어 풍류를 즐기려 하다니! 관아의 오동나무는 나라의 것이니 함부로 벨 수 없다고 하거라!"
> 결국 심부름꾼은 이순신의 말에 빈손으로 돌아갈 수밖에 없었습니다.

① 원님 덕에 나팔 분다　　　　　　② 호랑이도 곤하면 잔다

③ 아니 땐 굴뚝에 연기 날까　　　　④ 꼿꼿하기는 개구리 삼킨 뱀

⑤ 부뚜막의 소금도 집어넣어야 짜다

5 어떤 일을 하고자 하는 의지나 끈기가 약한 친구에게 해 줄 수 있는 말입니다. 빈칸에 들어갈 알맞은 표현은 무엇입니까? ·····················( )

> [　　　　　](으)로 끝내지 말고 이번에는 끝까지 해냈으면 좋겠구나.

① 1박 2일　　② 작심삼일　　③ 일취월장　　④ 일석일조　　⑤ 구사일생

6 속담 '개구리 올챙이 적 생각 못 한다'에서 '올챙이 적'이 뜻하는 것은 무엇입니까? ··················( )

① 이름을 널리 날리던 지난날　　　　② 의지가 강하고 굳세진 오늘날

③ 의지가 강하고 굳셌던 지난날　　　④ 실력이나 형편이 나아진 오늘날

⑤ 실력이나 형편이 좋지 않았던 지난날

#가족

Q. 그림과 이어지는 해시태그(#)를 보고 알맞은 어휘를 골라 □에 V표 하시오.

① 혈연 □ / 지연 □

#가족 #관계 #부모와_자식 #형과_아우
#피로_맺어진 #떼려야_뗄_수_없어

② 사육 □ / 양육 □

#가족 #자녀 #키우다 #기르다
#어린_아이 #보호하고_자라게

③ 친척 □ / 일가 □

#가족 #관계 #아버지쪽_집안_사람
#성이_같음 #삼촌_고모_등등

④ 맏이 □ / 막내 □

#가족 #관계 #형제 #장남 #장녀
#첫째 #형제_중에_대장

정답 ① 혈연 ② 양육 ③ 일가 ④ 맏이

①

혈연

지연

같은 핏줄에 의하여 연결된 인연. 부모와 자식, 형제간 등을 말함.

예 동생과 나는 혈 연 관계이다.

출신 지역에 따라 연결된 인연. 고향이 같은 관계 등을 말함.

참고 학연: 출신 학교에 따라 연결된 인연

예 학연, 지 연 따져 가며 사람을 가려서는 안 된다.

血 피 혈

연 인연

地 땅 지

혈 연 피로 맺어진 인연

지 연 같은 지역의 인연

---

②

사육

양육

어린 가축이나 짐승이 자라도록 먹이고 기름.

예 아저씨는 소 네 마리를 사 육 한다.

아이를 보살펴서 자라게 함.

예 아이 셋을 양 육 하는 일은 쉽지 않았다.

우리 집에서 양육하는 냥이~

Tip_
동물은 '사육'하고, 자녀는 '양육'하지만 오늘날은 반려 동물을 식구처럼 대하면서 '반려동물 양육'과 같이 쓰기도 함.

---

③

친척

일가

아버지 쪽 집안사람(친족)과 어머니 쪽 집안사람(외척)을 아울러 뜻하는 말.

① 한집에서 사는 가족. 예 화목한 일 가
② 성과 본(조상의 고향)이 같은 친척. 아버지 쪽 집안사람.

예 고향에서 일 가 가 찾아오셨다.

Tip_
'일가'는 친척 중 아버지 쪽 집안사람을 뜻하기 때문에 '친척'이 일가보다 더 범위가 넓은 말로 쓰임.

친척 > 일가

---

④

맏이

막내

여러 형제자매 가운데 가장 처음에 난 사람.

반의어 막내

여러 형제자매 가운데 가장 나중에 난 사람.

반의어 맏이

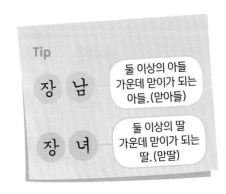

Tip

장 남
둘 이상의 아들 가운데 맏이가 되는 아들.(맏아들)

장 녀
둘 이상의 딸 가운데 맏이가 되는 딸.(맏딸)

#가족 #속담

Q. 그림과 이어지는 해시태그(#)를 보고 알맞은 속담을 골라 ☐에 V표 하시오.

사촌이 땅을 사면 배가 아프다 ☐ / 가까운 남이 먼 일가보다 낫다 ☐

♡ ◯ ◁

#가족 #관계 #친척 #못된_마음 #시기와_질투 #남이_잘되면 #화가_남 #샘_남 #속_쓰림

사촌이 땅을 사면 배가 아프다	가까운 남이 먼 일가보다 낫다
남이 잘되는 것을 기뻐해 주지는 않고 오히려 질투하고 시기하는 경우를 이르는 말.	이웃끼리 서로 친하게 지내다 보면 먼 곳에 있는 친척보다 더 도움이 된다는 말.

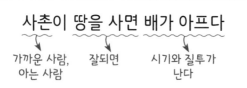

사촌이 땅을 사면 배가 아프다

가까운 사람, 아는 사람 → 잘되면 → 시기와 질투가 난다

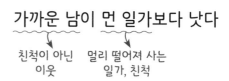

가까운 남이 먼 일가보다 낫다

친척이 아닌 이웃 → 멀리 떨어져 사는 일가, 친척

아이고 배야! 사촌이 땅을 샀나?

• 이웃사촌: 사촌 형제나 다를 바 없이 가까운 이웃.

정답 사촌이 땅을 사면 배가 아프다

#가족 # 사자성어 🔍

Q. 그림과 이어지는 해시태그(#)를 보고 알맞은 사자성어를 골라 □에 V표 하시오.

🐰 **부전자전** □ **/ 난형난제** □

중국 후한에 진식이라는 사람이 있었는데, 하루는 그의 손자 둘이 자기 아버지가 더 훌륭하다며 말싸움을 벌였다.

우리 아버지가 더 훌륭해!

아니야! 우리 아버지가 더 훌륭해!

할아버지께서 말씀 좀 해 주세요! 우리 아버지가 더 훌륭하지 않나요?

허허. 품성이나 학문으로 보자면 너희들 아버지는 둘 다 뛰어나서 형을 형이라고 하기도, 아우를 아우라고 하기도 어렵구나.

♡ ○ ◁ 　　　　　　　　　　　　　　　　　　　　　◁

#가족 #관계 #비교 #실력이_막상막하 #누가_더_나은지 #구별하기_어려워

부전자전	난형난제
아들의 성격이나 생활 습관 따위가 아버지로부터 대물림된 것처럼 같거나 비슷함.	누구를 형이라 하고 누구를 아우라 하기 어렵다는 뜻으로 낫고 못함을 정하기 어려움.

父	傳	子	傳
아비 **부**	전할 **전**	아들 **자**	전할 **전**
↓	↓	↓	↓
아버지가	전하고	아들이	전해 받음

難	兄	難	弟
어려울 **난**	맏 **형**	어려울 **난**	아우 **제**

형이라고 하기 어렵고 　 아우라고 하기 어렵다

아버지나 아들이나 잘 씻지를 않아요. 부전자전이네.

수경이랑 수희 중에 누가 더 달리기를 잘해?

둘 다 엄청 빨라. 시합을 해도 난형난제라 누가 더 잘하고 못하는지를 알기 어려울걸.

1 보기의 대상을 '사육'과 '양육'에 어울리는 대상으로 구분하여 쓰시오.

> 보기
>
> 닭　딸　토끼　아들　돼지　코끼리

(1) 사육	
(2) 양육	

2 다음 관계 중 혈연관계가 <u>아닌</u> 것은 어느 것입니까? ·· (　　)

① 어머니와 딸　　　　　　　　　② 아버지와 아들

③ 누나와 남동생　　　　　　　　④ 아버지와 옆집 아저씨

⑤ 큰아버지와 작은아버지

3 다음 대화의 빈칸에 들어갈 사자성어를 쓰시오.

> 엄마: 성근아, 이제 그만 게임하고 씻고 자야지.
>
> 성근: 귀찮은데, 그냥 자면 안 돼요?
>
> 엄마: 어휴, 아빠가 씻는 걸 귀찮아한다고 너도 그러니? ⓑ ⓙ ⓙ ⓙ 이 따로 없구나. 어서 씻어!

(　　　　　　　)

4 보기의 낱말 뜻으로 보아 다음 중 '맏이'가 아니면서 '장녀'에 해당하는 사람은 누구입니까?

> 보기
>
> 장녀: 둘 이상의 딸 가운데 가장 처음 난 사람.

정희	남동생이 하나 있고 여동생이 하나 있음.
소영	오빠가 하나 있고 남동생이 하나 있음.
정화	오빠가 하나 있고 여동생이 둘 있음.

(　　　　　　　)

5 다음 이야기의 밑줄 그은 부분과 관련 있는 속담은 어느 것입니까? ·················· (   )

> 훈이 형은 몸이 조금 불편할 뿐, 나보다 못하는 게 없었다. 게임도 나보다 훨씬 잘했고 수학이나 영어 실력도 수준급이었다. 다니는 학교에서 한 번도 일 등을 놓쳐 본 적이 없다고 하였다. 마침, 영어 학원이 멀어서 불편했던 나에게 훈이 형은 나의 과외 선생님이 되어 주었다. 이사 온 지 얼마 되지 않아 주위에 마땅한 친구도 없던 터라 나는 과외 받을 시간이 아니어도 윗집 훈이 형한테 갔다.
>
> 훈이 형은 자전거를 타 보고 싶다고 했다. 소아마비로 인해 자전거를 타 본 적이 한 번도 없다고 하였다. 그거야 뭐, 내가 해 줄 수 있지. 내가 형의 다리가 되어 줄게.
>
> 내가 타고 다니던 자전거에 뒷자리를 만들었다. 형이 불편하지 않도록 뒷좌석 안장을 조금 낮게 설치하고 형을 뒤에 태웠다. 훈이 형은 처음에는 어색해하다가 곧 자전거의 움직임에 적응했다.
>
> 훈이 형한테 계속 도움만 받다가 형이 필요한 걸 내가 해 줄 수 있다는 생각에 뿌듯한 기분이 들었다.
>
> <u>"오오, 우리 사촌형이나 친척들도 못 해 준 걸 네 덕에 누리는구나. 역시 이웃이 좋아."</u>
>
> "무슨 소리. 형이야말로 우리 아빠도 가르쳐 주지 못하는 걸 가르쳐 주잖아. 언제든지 자전거 타고 싶으면 말해."
>
> 바람이 무척 시원하게 느껴졌다.

① 우물에 가 숭늉 찾는다   ② 업은 아이 삼 년 찾는다

③ 사촌이 땅을 사면 배가 아프다   ④ 가까운 남이 먼 일가보다 낫다

⑤ 호랑이 굴에 들어가도 정신만 차리면 산다

6 다음 중 '난형난제'가 어울리는 예는 어느 것입니까? ·················· (   )

① 어떤 일을 다급하게 하려고 할 때

② 오늘 해야 할 일을 내일로 미룰 때

③ 어려운 일을 당하고 있는데 더 어려운 일이 닥칠 때

④ 실력이 대등하여 누가 더 낫고 못한지 가리기 어려울 때

⑤ 어려웠던 때는 생각 못 하고 자기가 제일인 듯 잘난 척할 때

7 '사촌이 땅을 사면 배가 아프다'는 어떤 마음을 비유한 속담입니까? ·················· (   )

① 참는 마음   ② 외로운 마음   ③ 고집 센 마음

④ 자만하는 마음   ⑤ 시기하는 마음

1 다음 뜻에 가장 알맞은 낱말은 어느 것입니까?
·····························(   )

> 억지로 또는 강제로 요구함.

① 요청   ② 강화   ③ 강조
④ 강요   ⑤ 부탁

2 다음 글의 ㉠~㉡에 알맞은 말은 무엇인지 '비난' 이나 '비판' 중 골라 쓰시오.

> 상대의 의견에 대해 꼼꼼하게 따져 본 뒤 ㉠ 을 하는 것은 좋습니다. 하지만 토론 주제와 상관없는 꼬투리를 잡아 상대를 ㉡ 하는 것은 바른 자세가 아닙니다.

(1) ㉠: (   )

(2) ㉡: (   )

3 다음 뜻에 알맞은 낱말을 보기 에서 골라 쓰시오.

> **보기**
> 간식   주식   별식

(1) 끼니에 주로 먹는 음식 ＿＿＿＿＿＿

(2) 늘 먹는 음식이 아닌
색다른 음식 ＿＿＿＿＿＿

(3) 끼니와 끼니 사이에 먹는 음식

＿＿＿＿＿＿

4 들에서 캔 '쑥', '고사리', '냉이'를 채소라고 부르는 것이 어색한 까닭은 무엇입니까? (   )

① 채소는 주로 값이 싸기 때문에
② 채소는 주로 잎을 먹기 때문에
③ 채소는 주로 봄에 나기 때문에
④ 채소는 주로 뿌리를 먹기 때문에
⑤ 채소는 주로 밭에서 기르기 때문에

5 다음은 '번듯하다'의 여러 가지 뜻입니다. 밑줄 그은 '번듯하다'가 자연스럽지 않은 문장은 어느 것입니까? ·····························(   )

> 번듯하다
> • 생김새가 훤하고 멀끔하다.
> • 형편이나 위세 따위가 당당하다.
> • 큰 물체가 비뚤어지거나 기울거나 굽지 않고 바르다.

① 방 한쪽에는 커다란 책장이 번듯하게 서 있었다.
② 얼굴은 번듯하게 생겼는데 말도 안 되는 거짓말을 하고 다닌다.
③ 피사의 사탑은 번듯하게 서 있지 않고 한쪽으로 기울어져 있다.
④ 고래 등 같은 기와집 하나가 마을 가운데에 번듯하게 자리하고 있었다.
⑤ 영희는 우리 학교의 대표적인 모범생이라 생각하는 것도 항상 번듯하다.

6 다음 글의 ○○○○에 들어갈 알맞은 말은 무엇입니까? ·· (　)

> 아랫사람에게는 항상 아껴 쓰라고 강조하면서 정작 본인이 생활하면서 그렇게 하지 않는다면 누가 그 말을 따르겠는가? 다른 사람의 본보기가 되려면 먼저 ○○○○(을)를 이루는 것이 중요하다.

① 언중유골　　　② 어부지리
③ 언감생심　　　④ 언행일치
⑤ 수신제가

7 다음 대화의 ㉠에 들어갈 속담으로 가장 알맞은 것은 어느 것입니까? ·············· (　)

> 쌍뿔 먼지: 이 바보야! 그거 하나 똑바로 못 해? 정신 안 차릴래?
> 안경 먼지: 　㉠　(라)고 했어. 이왕이면 좋게 말해 주면 안 될까?

① 같은 값이면 다홍치마
② 업은 아기 삼 년 찾는다
③ 가까운 남이 먼 일가보다 낫다
④ 개구리 올챙이 적 생각 못 한다
⑤ 말이란 아 해 다르고 어 해 다르다

8 '작심삼일'은 어떠한 사람에게 할 수 있는 말입니까? ·· (　)

① 매우 소심한 사람
② 용기가 없는 사람
③ 의지가 약한 사람
④ 욕심이 없는 사람
⑤ 매우 부지런한 사람

9 다음 중 사소한 것에 얽매이지 않고 너그러운 성격을 뜻하는 말은 무엇입니까? ········· (　)

① 대범하다　　　② 소심하다
③ 자만하다　　　④ 거만하다
⑤ 약삭빠르다

10 다음 중 '난형난제'가 자연스럽게 쓰인 예는 어느 것입니까?

> ㉠ 서로를 생각하는 두 형제의 마음이 난형난제처럼 애틋하다.
> ㉡ 두 사람의 그림이 각자의 개성으로 자연의 풍요로움을 잘 드러내고 있어 난형난제라 아니할 수 없다.
> ㉢ 아버지의 버릇을 아들이 똑같이 따라 하니 난형난제가 틀린 말이 아니로구나.

(　)

어휘 플러스

독불장군

사고 쑥쑥

창의·융합·코딩 **2**

1 다음 문장에 쓰인 낱말의 의미와 관련이 먼 어휘 구슬을 하나 고르세요.

(1)
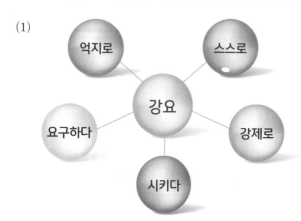

자장면을 먹고 싶었지만 친구의 강요로 짬뽕을 먹어야 했다.

'강요'의 의미와 거리가 먼 것

: _____

(2)
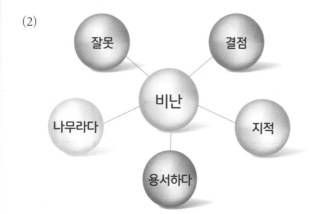

저의 부족한 점을 알려 주는 것은 좋지만 비난은 하지 말아 주세요.

'비난'의 의미와 거리가 먼 것

: _____

(3)
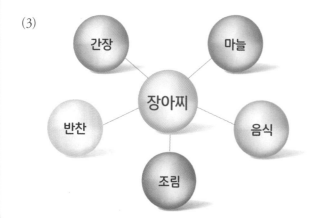

돌아가신 할머니께서는 살아 계실 때 장아찌를 즐겨 드셨다.

'장아찌'의 의미와 거리가 먼 것

: _____

2 가로 열쇠와 세로 열쇠를 보고 다음 십자말풀이를 완성하세요.

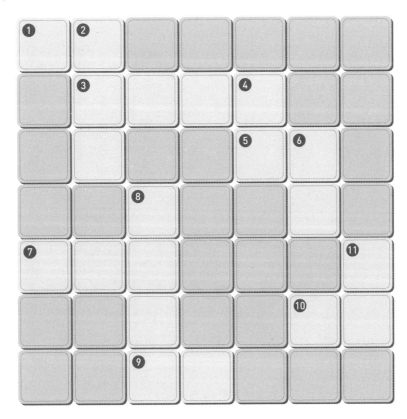

➡가로

❶ 어떤 부분을 특별히 강하게 주장함. ⑩ 다시 한 번 ㉠㉣ 합니다.

❸ 바람이 불면 날개가 빙빙 돌게 만든 장난감.

❺ 재판에서 사건을 심리하고 판결을 내리는 사람.

❼ 자기 자신의 이익만을 꾀하는 마음.

❾ 한집에 사는 가족, 혹은 성과 고향이 같은 아버지 집안의 친척을 이르는 말.

❿ 음식을 적게 먹음.

⬇세로

❷ 조마조마하여 마음을 졸임. 또는 그렇게 졸이는 마음. ⑩ ㉣㉤㉥ 내지 말고 차분히 기다려.

❹ 옳고 그름을 판단하여 밝히거나 잘못된 점을 지적함.

❻ 어린 가축이나 짐승이 자라도록 먹이어 기름.

❽ 단단히 먹은 마음이 사흘을 가지 못한다는 뜻의 사자성어.

⓫ 고기류를 피하고 주로 채소, 과일 따위의 식물성 음식만 먹음.

논리 탄탄

1 어휘에 대한 설명이 바른 곳만 따라가야 무사히 강을 건널 수 있어요. 강을 잘 건널 수 있게 선을 그어 길을 찾아 주세요.

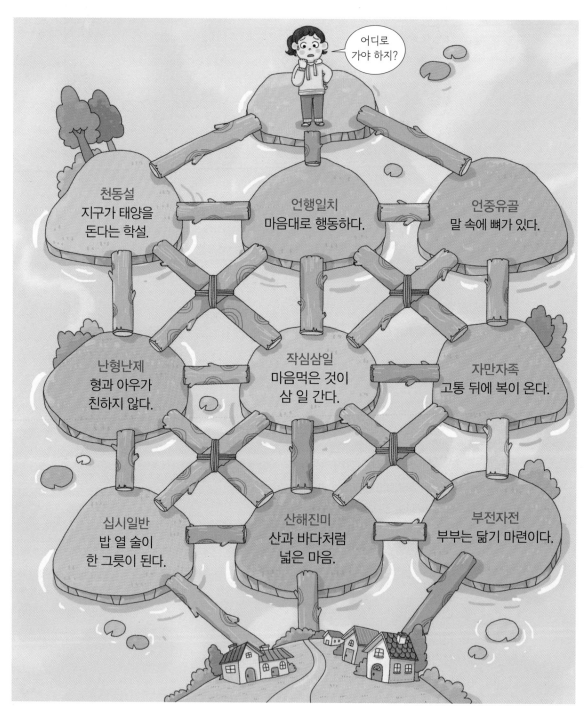

2 질문에 알맞은 대답을 찾아 화살표로 가는 길을 표시해 보세요.

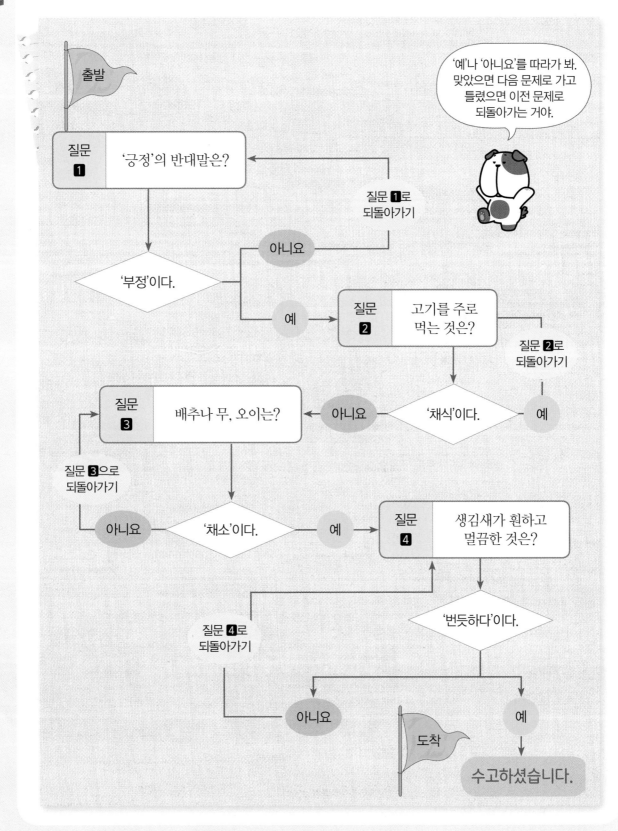

2주에는 무엇을 공부할까? ①

1일 국어 > 시간

시간 / 시차
줄곧 / 간혹
세월 / 시절
금일 / 명일

속담 신선놀음에 도낏자루 썩는 줄 모른다 / 금일 충청도 명일 경상도

사자성어 시기상조 / 허송세월

2일 생활 > 마음

이기적 / 이타적
양심 / 본심
배짱 / 숫기
시샘 / 심통

속담 비둘기는 콩밭에만 마음이 있다 / 알을 두고 온 새의 마음

사자성어 일편단심 / 견물생심

3일 과학 > 온도

섭씨 / 화씨
가열 / 발열
전도 / 대류
단열 / 단열재

속담 불 가져오라는데 물 가져온다 / 끓는 물에 냉수 부은 것 같다

사자성어 이열치열 / 순망치한

4일 생활 > 병

고뿔 / 오한
감염 / 전염
발병 / 투병
진단 / 처방

- **속담** 쇠똥도 약에 쓰려면 없다 / 꿀도 약이라면 쓰다
- **사자성어** 식자우환 / 동병상련

5일 사회 > 전쟁

침입 / 침탈
전투 / 전략
분쟁 / 논쟁
휴전 / 종전

- **속담** 한 번 실수는 병가의 상사 / 고래 싸움에 새우 등 터진다
- **사자성어** 임전무퇴 / 어부지리

 어휘 플러스

지킬 건 지킨다!
우리는 화랑!
화랑도

화랑도의 계율이었던
'세속 오계'에는
무엇무엇이 있나?

세월
―――――
시절

*세월은 흘러가는 시간, 시절은 특정한 시기나 때를 가리키는 말

'세월'과 '시절'은 어떻게 다를까?

1 다음 ○○에 들어갈 말이 '세월'보다 '시절'이 더 자연스러워 보이는 것은?⋯⋯⋯⋯⋯⋯⋯⋯⋯⋯⋯⋯⋯⋯⋯⋯⋯⋯⋯⋯⋯⋯⋯⋯⋯( )

① 긴 ○○이 흐르자 고향의 모습도 많이 변했어요.

② 나도 젊은 ○○에는 힘이 세서 무서울 게 없었지.

③ 일만 하다 보니 ○○ 가는 줄 모르고 살았어.

양심
―――――
본심

*본심은 속마음, 양심은 도덕적인 마음

'양심'과 '본심'은 어떤 마음일까?

2 보기 의 말들을 '본심'과 '양심'에 관계있어 보이는 것끼리 구분해 보시오.

보기
① 속마음
② 본래 마음
③ 바른 마음
④ 옳은 마음

(1) 본심: (,)

(2) 양심: (,)

2주

감염

전염

*감염은 병균이 몸에 들어오는 것, 전염은 병이 남에게 옮기는 것

'감염'과 '전염'은 어떤 차이가 있을까?

3 빈칸에 모두 들어갈 수 있는 말은 '감염'과 '전염' 중에 어느 것일까?

- 상처를 소독하지 않으면 병균에 ◯◯된다.
- ◯◯된 상처 부위가 빨갛게 부풀어 올랐다.
- 컴퓨터 바이러스에 ◯◯되어 자료를 모두 잃어버렸다.

(   )

견물생심

*무언가를 보면 그것을 가지고 싶은 욕심이 생긴다

'견물생심'은 어떤 상황에서 쓰이는 말일까?

4 다음 그림에서 친구가 '견물생심'을 통해 하고 싶었던 말은?

(   )

① "몸이 피곤해서 걷기가 힘들어."

② "너무 시끄러워서 참을 수가 없어."

③ "먹을 것을 보면 먹고 싶어진단 말이야."

#시간 🔍

Q. 그림과 이어지는 해시태그(#)를 보고 알맞은 어휘를 골라 ☐에 V표 하시오.

① 🐰 시간 ☐ / 시차 ☐   ···

♡ 〇 ⮞   🔖

#Time #시각 #동안 #시각에서_시각까지
#〇〇이 흐른다

② 🐰 줄곧 ☐ / 간혹 ☐   ···

♡ 〇 ⮞   🔖

#시간 #반복되는_횟수 #어쩌다가_한_번
#가끔 #자주는_아님

③ 🐰 세월 ☐ / 시절 ☐   ···

♡ 〇 ⮞   🔖

#시간 #과거 #특정한_시기 #좋았던_한때
#나_때는_말이야

④ 🐰 금일 ☐ / 명일 ☐   ···

♡ 〇 ⮞   🔖

#시간 #날을_나타내는_말
#오늘의_바로_다음_날 #내일

정답 ① 시간 ② 간혹 ③ 시절 ④ 명일

①

시간

어떤 시각에서 어떤 시각까지의 사이.
예 두 시간 이 걸리다.

시차

어떤 일을 하는 시간이나 시각에 차이를 두게 하는 일.
예 시차 를 두고 열차가 출발하다.

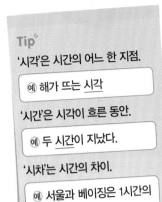

Tip
'시각'은 시간의 어느 한 지점.
예 해가 뜨는 시각

'시간'은 시각이 흐른 동안.
예 두 시간이 지났다.

'시차'는 시간의 차이.
예 서울과 베이징은 1시간의
시차가 난다.

②

줄곧

끊임없이 잇따라. 유의어 내내
예 아저씨는 줄곧 강 근처에서 낚시를 한다.

간혹

어쩌다가 한 번씩.
예 매번 허탕을 치지만 간혹 큰 물고기를 잡는 날도 있다.

줄곧 낚시를
하지만 이런 날은
간혹이지.

③

세월

흘러가는 시간. '시간'으로 바꾸어 쓸 수 있음.
예 길고 긴 세월 이 흐르다.

시절

일정한 시기나 때. '때'로 바꾸어 쓸 수 있음.
예 학창 시절 , 청년 시절 , 좋았던 시절

Tip_
세월은 흘러가는 '시간' 자체를
말하지만 시절은 일정한 '때'를
가리킴.

어린 세월에(×)
어린 시절에(○)

④

금일

지금 지나가고 있는 이날. 오늘.
예 금일 안으로 이 일을 마무리합니다.

명일

오늘의 바로 다음 날. 내일.
예 명일 행사에 꼭 참석해 주기를 바랍니다.

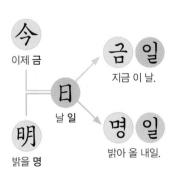

今
이제 금

明
밝을 명

日
날 일

금 일
지금 이 날.

명 일
밝아 올 내일.

#시간 #속담

Q. 그림과 이어지는 해시태그(#)를 보고 알맞은 속담을 골라 ☐에 V표 하시오.

🐰 신선놀음에 도낏자루 썩는 줄 모른다 ☐ / 금일 충청도 명일 경상도 ☐

오홍, 이거 재미있는데? 하하핫!

어, 어라. 벌써 아침인 거야? 시간이 참……

♡ ◯ ◁

#시간 #재미난_일 #몰두_집중 #홀딱_빠짐 #시간_가는_줄_모름 #밤_새지_말란_말이야

신선놀음에 도낏자루 썩는 줄 모른다

아주 재미있는 일에 정신이 팔려 시간이 가는 줄 모르는 경우를 비유적으로 이르는 말.

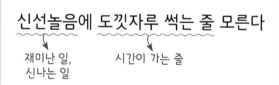

신선놀음에 도낏자루 썩는 줄 모른다

재미난 일,　　　　시간이 가는 줄
신나는 일

신선놀음에
도낏자루 썩는 줄 모른다고,
썰매 타고 놀다 보니
하루가 금방 가네.

야호!

금일 충청도 명일 경상도

일정한 주소가 없이 이곳저곳으로 정처 없이 떠돌아다님을 비유하는 말.

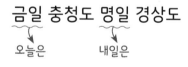

금일 충청도 명일 경상도

오늘은　　　　내일은

금일 충청도 명일 경상도
하는 신세라 마음은 편하네.

정답 신선놀음에 도낏자루 썩는 줄 모른다

#시간 #사자성어

Q. 그림과 이어지는 해시태그(#)를 보고 알맞은 사자성어를 골라 ☐에 V표 하시오.

시기상조 ☐ / 허송세월 ☐

#시간 #이르다 #아직은_올챙이 #더_기다려 #아직_때가_아니야 #시기가_아니라고

시기상조	허송세월
어떤 일을 하기엔 아직 때가 이름.	하는 일 없이 세월만 헛되이 보냄.

時 機 尚 早
때 시　틀 기　오히려 상　이를 조
때, 시기가　　이르다, 빠르다

虛 送 歲 月
빌 허　보낼 송　해 세　달 월
허무하게　보내다　세월, 시간을

엄마! 이제 우리도 뛰면 안 돼요?

시기상조란다.

방학이 벌써 끝나 버렸어. 아~ 허송세월했구나.

정답 시기상조

1 다음 중 ○○에 '시차'가 들어갈 수 있는 문장은 어느 것입니까? ································· (   )

① 재미없는 영화를 보면서 ○○만 낭비했다.

② 시험 ○○이(가) 다가오자 긴장되기 시작했다.

③ 밥 먹을 ○○도 없이 정신없이 하루를 보냈다.

④ 이 일을 마치려면 적어도 세 ○○(은)는 필요합니다.

⑤ 버스는 30분 정도의 ○○(을)를 두고 차례대로 출발합니다.

2 다음 가족 중 줄넘기를 가장 자주 하는 사람은 누구입니까?

> • 동생은 저녁이면 줄곧 줄넘기를 한다.
> • 어머니는 저녁에 간혹 줄넘기를 하신다.
> • 누나는 저녁에 어쩌다가 한 번 줄넘기를 한다.

(   )

3 ○○에 '세월'이 더 자연스러운 문장과 '시절'이 더 자연스러운 문장을 찾아 선으로 이으시오.

(1) | 기나긴 ○○이 흘렀다.   •

(2) | 그 ○○, 달걀은 귀한 음식이었다.   •

(3) | 청년 ○○에 아버지는 활기가 넘쳤다.   •

• ① | 세월

• ② | 시절

4 다음 안내 방송의 ㉠, ㉡과 바꾸어 쓸 수 있는 말을 **보기** 에서 골라 쓰시오.

> ㉠ 금일 저녁 오후부터 투명한 플라스틱을 수거합니다. 가정에 모아 두신 투명한 플라스틱은 ㉡ 명일 아침 아홉 시까지 관리 사무소 앞에 모아 주세요.

보기

그저께	어저께
오늘	내일
모레	글피

(1) ㉠: (   )

(2) ㉡: (   )

[5~7] 다음 글을 읽고 물음에 답하시오.

옛날에 한 나무꾼이 산속으로 나무를 하러 갔다가 토끼를 보았어. 나무꾼은 토끼가 들어간 동굴 속으로 쫓아 들어갔지. 그런데 신기하지? ⓒ그 굴은 깊이 들어갈수록 점점 더 밝아지는 거야. 빛을 따라 계속 들어갔더니 세상이 훤하게 밝아지며 향긋한 바람이 부는 거야. 그리고 백발을 한 노인 둘이서 커다란 나무 아래 바둑을 두고 있더래. 오호, 바둑이라. ⓒ바둑이라면 나무꾼도 제법 하는 편이었거든. 나무꾼은 두 노인이 두고 있는 바둑을 지켜보았어. 노인들 바둑 실력이 대단하였나 봐. 속으로 이리저리 바둑돌을 옮기며 온갖 수를 읽고 궁리하느라 ⓒ나무꾼은 시간 가는 줄 몰랐어. 바둑이 거의 끝나 갈 때 즈음, 나무꾼은 그제야 집 생각이 나서 자리에서 일어났어. 그런데 자기가 가져왔던 도끼를 찾아보니 나무로 된 도낏자루는 어디론가 사라지고 웬 붉게 녹슨 도끼날 하나만 있더란 말이야. 내 도끼 못 보셨소? 하고 ⓒ두 노인에게 물어봐도 노인들은 답이 없었어. 어떻게 해. 녹슨 도끼날이라도 가져가야지.

나무꾼은 동굴을 빠져나와 마을로 내려갔어. 그런데 이상하지? 나무꾼이 살던 마을이 너무나 달라져 있는 거야. 아는 사람도 없어. 할 수 없이 지나가는 사람을 붙잡고 자기 이름을 대며 말을 거는데, 그 사람이 깜짝 놀라는 거야.

"아니, 그분은 저의 증조부 되시는데 어찌 아십니까? 산에 나무하러 갔다가 변을 당하셨는지 소식이 끊겼답니다. 노인께서는 그분을 어찌 아시는지요?"

당황한 나무꾼은 자신의 얼굴을 만져 보았어. 젊어서 탄탄했던 살결은 온데간데없고 손끝에 온통 주름진 피부만 만져지는 거야. 덜컥 겁이 나 물에 비추어 보았더니 나무꾼은 동굴에서 바둑 두던 노인들처럼 머리가 하얗게 세어 있고 수염도 석 자나 자라 있더래.

5 ⓒ~ⓒ 중 '신선놀음에 도낏자루 썩는 줄 모른다'의 뜻을 가장 잘 나타내 주는 문장은 어느 것입니까?

(   )

6 머리가 하얗게 센 나무꾼이 한 말입니다. 알맞은 말에 ○표 하시오.

"내가 신선들 바둑 두는 것만 보며 (허송세월 / 시기상조) 하였구나!"

7 이후 이야기에 등장하는 나무꾼은 '금일 충청도 명일 경상도 하는 처지'가 되었다고 합니다. 이 뜻을 잘 나타내 주는 문장은 어느 것입니까? ···(   )

① 이후 나무꾼은 의지할 사람이 아무도 없어 외로운 처지가 되었더래.

② 이후 나무꾼은 해야 할 일이 너무 많아 정신없이 바쁜 처지가 되었더래.

③ 이후 나무꾼은 마을에 머물지 못하고 이리저리 떠도는 처지가 되었더래.

④ 이후 나무꾼은 도시로 나가지 못하고 시골에만 숨어 사는 처지가 되었더래.

⑤ 이후 나무꾼은 부끄러운 마음이 들어 평생 고개를 숙이고 사는 처지가 되었더래.

#마음

Q. 그림과 이어지는 해시태그(#)를 보고 알맞은 어휘를 골라 ☐에 V표 하시오.

① 이기적 ☐ / 이타적 ☐

우헤헤헤헤!
다 내 거야!
다른 사람은
필요 없어!

풍선 무료 이벤트
거기요!

#마음 #나만_생각 #내가_먼저
#배려_없음 #나만_좋으면_최고!

② 양심 ☐ / 본심 ☐

이렇게 ○○ 없는
인간은 혼을 내 줘야 해!

#마음 #바른_착한 #정직
#지킬_건_지켜라

③ 배짱 ☐ / 숫기 ☐

난 못해!
못한다고!

먼지족이 왜 이리
○○이 없어? 뛰어!

번지점프

#마음 #용기 #당당한_ #밀고_나가는_자세
#적극적 #내_배가_짱이야?

④ 시샘 ☐ / 심통 ☐

쟤 왜
저래?

깡-

번지 점프 시켰다고
○○ 나서 그래.

#마음 #불만_가득 #심술 #뽀로통
#안_좋아 #흥_핏_치!

정답 ① 이기적 ② 양심 ③ 배짱 ④ 심통

1

이기적

자기 자신의 이익만을 꾀하는 것.
예 남 생각할 줄 모르는 이 기 적 인 성격이다.

이타적

자기의 이익보다는 다른 이의 이익을 더 꾀하는 것.
예 소방관은 이 타 적 인 마음으로 사회에 봉사함을 자랑스럽게 여긴다.

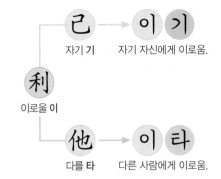

己 자기 기 → 이 기 자기 자신에게 이로움.

利 이로울 이

他 다를 타 → 이 타 다른 사람에게 이로움.

2

양심

옳고 그름, 선과 악을 가리고 그것을 지키고자 하는 마음.
예 양 심 에 따라 행동하다.

본심

본디부터 변함없이 그대로 가지고 있는 마음. 꾸미거나 거짓으로 숨기지 않은 마음.
예 본 심 을 드러내다.

내 본심에는 원래 양심이 없어.

Tip_
양심은 옳은 것을 지키고 따르고자 하는 마음, 본심은 숨기지 않은 본래의 마음.

3

배짱

① 마음속으로 다져 먹은 생각이나 태도. 예 네 배 짱 대로 해 봐라.
② 조금도 굽히지 아니하고 버티어 나가는 성품이나 태도.
예 배 짱 이 세서 숙일 줄을 모른다.

숫기

활발하여 부끄러워하지 않는 기운.
예 영희는 숫 기 가 없어서 발표를 잘 못한다.

Tip_
숫기 있다: 적극적이고 부끄러워하지 않는다.
숫기 없다: 소극적이고 부끄러움이 많다.

4

시샘

자기보다 잘되거나 나은 사람을 괜히 미워하고 싫어함. 또는 그런 마음. 유의어 샘, 시새움, 질투

심통

마땅치 않게 여기는 나쁜 마음.
예 심 통 이 나다. 심 통 이 사납다.
심 통 을 부리다.

내가 왜?

속담 심통이 놀부 같다
놀부와 같이 마음이 곱지 못하고 욕심이 많음을 이르는 말.

#마음 #속담

Q. 그림과 이어지는 해시태그(#)를 보고 알맞은 속담을 골라 □에 V표 하시오.

비둘기는 콩밭에만 마음이 있다 □ / 알을 두고 온 새의 마음 □

#마음 #먹고_싶은_마음 #일은_관심_없어 #먹을_거에_집중 #콩밭에는_콩이_가득 #좋아좋아

비둘기는 콩밭에만 마음이 있다

먹을 것에만 정신이 팔려 온전히 다른 볼일을 보지 못함을 비유적으로 이르는 말.

비둘기는 콩밭에만 마음이 있다
↓   ↓
먹을 것,   다른 일

비둘기의 마음은 콩밭에……. 내 마음은 건전지에…….

알을 두고 온 새의 마음

잠시도 마음을 놓지 못하고 불안해하는 경우를 비유적으로 이르는 말.

알을 두고 온 새의 마음
↓   ↓   ↓
새끼   어미 새 몹시 불안함

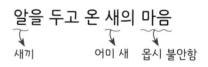

알들은 잘 있을까?
누가 밟으면 어떡하지?
아, 불안해서 일이 안 되네…….

정답 비둘기는 콩밭에만 마음이 있다

#마음 #사자성어 🔍

Q. 그림과 이어지는 해시태그(#)를 보고 알맞은 사자성어를 골라 ☐에 V표 하시오.

일편단심 ☐ / 견물생심 ☐

#마음 #욕심 #모르면_욕심_없어 #보면_갖고_싶어 #차라리_보지를_말자

일편단심	견물생심
한 조각의 붉은 마음이라는 뜻으로, 진심에서 우러나오는 변치 않는 마음.	어떠한 실물을 보게 되면 그것을 가지고 싶은 욕심이 생김.

一 하나 일 → 한
片 조각 편 → 조각의
丹 붉을 단 → 붉은
心 마음 심 → 마음

見 볼 견
物 만물 물
生 날 생
心 마음 심
물건을 보면 갖고 싶은 마음이 생긴다

임 향한 일편단심이야 가실 줄이 있으랴.

▲ 정몽주

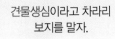

견물생심이라고 차라리 보지를 말자.

1 다음 인물을 '이기적인' 인물과 '이타적인' 인물로 구분하시오.

옹고집	나눠 줄 쌀이 한 톨도 없다며 찾아온 스님을 쫓아버렸다.
옆집 농부	마을에서 함께 써야 할 저수지 물을 끌어와 자기 논에 몰래 대었다.
나이팅게일	전쟁에서 다친 군인들을 밤을 새워 가며 간호하였다.
왕자의 동상	자신의 몸에 박혀 있는 보석을 추위에 떠는 사람들에게 나누어 주었다.

(1) 이기적인 인물: (,   )

(2) 이타적인 인물: (,   )

2 다음 중 '숫기 없는' 사람으로 볼 수 있는 것은 누구입니까?

수희	하고자 하는 일에 집중하지 못하고 늘 다른 생각만 한다.
영호	처음 만나는 친구라도 스스럼없이 먼저 말을 걸고 잘 친해진다.
정희	친구들 앞에서 발표를 할 때면 얼굴이 새빨개지며 말을 잘 못한다.

(   )

3 보기 의 뜻과 가장 거리가 먼 낱말은 어느 것입니까? ·············(   )

> **보기**
>
> 자기보다 잘되거나 나은 사람을 공연히 미워하고 싫어하는 마음.

① 샘   ② 시샘   ③ 질투   ④ 본심   ⑤ 시새움

4 다음 중 밑줄 그은 '심통'이 가장 자연스러운 문장은 어느 것입니까? ·············(   )

① 심통이 없는 백설 공주는 왕비의 말을 곧이곧대로 믿었다.

② 용을 물리치겠다고 말은 했지만 정작 기사는 심통이 없었다.

③ 어머니는 항상 자신보다 이웃을 먼저 챙기는 등 심통이 넘쳤다.

④ 부자가 된 흥부를 보고 심통이 난 놀부는 자식들에게 화를 냈다.

⑤ 옆집 아저씨는 심통이 많아 신기한 물건을 보면 이것저것 묻기 바쁘다.

5 다음 이야기에서 ⊙ '일편단심'은 무엇을 뜻합니까? ·· ( )

> 새 왕조 조선을 세우려던 이성계에게 고려의 충신 정몽주는 가장 큰 걸림돌이었다. 이성계의 아들 이방원은 정몽주를 만난 자리에서 다음과 같이 시를 읊었다.
>
> 이런들 어떠하며 저런들 어떠하리
> 만수산 드렁칡이 얽어진들 어떠하리
> 우리도 이같이 얽어져 백 년까지 누리리라
>
> 임금이 바뀐들 무슨 상관이겠느냐, 한세상 마음 편히 살면 그만 아니겠냐며 고려를 엎고 새 임금을 섬기자는 뜻을 넌지시 던진 것이다. 이에 정몽주는 다음과 같은 시로 답했다.
>
> 이 몸이 죽어 죽어 일백 번 고쳐 죽어
> 백골이 *진토 되어 넋이라도 있고 없고
> 임 향한 ⊙일편단심이야 가실 줄이 있으랴
>
> 이방원은 정몽주의 뜻을 꺾을 수 없음을 알고 후에 조선의 태조가 되는 아버지 이성계에게 정몽주를 죽이자 한다. 결국 정몽주는 선죽교에서 이방원이 보낸 *자객에게 살해당하고 말았다.
>
> *진토: 티끌(먼지)과 흙을 통틀어 이르는 말.
> *자객: 사람을 몰래 죽이는 일을 하는 사람.

① 이성계를 섬기고자 하는 마음   ② 조선 왕조를 세우고자 하는 마음
③ 고려 왕조를 지키고자 하는 마음   ④ 이방원의 신하가 되고자 하는 마음
⑤ 세상일에 관계없이 편히 살고자 하는 마음

6 속담 '알을 두고 온 새의 마음'은 어떠한 마음과 관련이 있습니까? ························ ( )

① 시기하는 마음   ② 즐거운 마음   ③ 화가 나는 마음
④ 자랑스러운 마음   ⑤ 불안해하는 마음

7 다음 글의 밑줄 그은 부분과 어울리는 말은 어느 것입니까? ···································· ( )

> 형사는 장발장의 편을 드는 신부의 말을 믿지 못하는 눈치였다.
> "신부님, 악인은 변하지 않는 법입니다. 설사 그가 신부님의 은혜에 새 마음을 가지게 되었다 하더라도 이렇게 빛나는 촛대가 눈앞에 있는데 어찌 그것을 그냥 길거리에 나뒹구는 돌처럼 놔두고 가겠습니까? 저자는 그 끝을 알 수 없는 어두운 욕심에 휩싸였을 것이 분명합니다."

① 일편단심   ② 견물생심   ③ 측은지심
④ 후회막심   ⑤ 대기만성

#온도

Q. 그림과 이어지는 해시태그(#)를 보고 알맞은 어휘를 골라 □에 V표 하시오.

① 섭씨 □ / 화씨 □

#온도 #열 #온도_단위 #흔히_안_씀
#°F #섭씨보다_먼저_사용

② 가열 □ / 발열 □

#온도 #열 #加더할 가 #대상을_뜨겁게
#열을_더하다

③ 전도 □ / 대류 □

#온도 #열 #전달 #고체에서 #한쪽에
서_다른_쪽으로 #열이_이동

④ 단열 □ / 단열재 □

#온도 #열 #차단 #열_이동을 #막음
#아이스_박스 #보온_밥통

정답 ① 화씨 ② 가열 ③ 전도 ④ 단열

①

섭씨

얼음의 녹는점을 0도, 물의 끓는점을 100도로 하여 그 사이를 백 등분한 온도 단위. 현재 널리 쓰이는 온도 단위.

화씨

얼음의 녹는점을 32도, 물의 끓는점을 212도로 하여 그 사이를 등분한 온도 단위. 섭씨 단위보다 먼저 쓰임.

▲ 섭씨와 화씨가 함께 표시되는 온도계

Tip_
사람의 체온 섭씨 37.8도는 화씨 100도임. 그래서 화씨는 체온을 나타내기에 알맞음.

2 주

②

가열

어떤 물질에 열을 가함.

㈎ 가스불로 냄비의 물을 가 열 하다.

발열

① 열이 남. 또는 열을 냄.
② 체온이 높아짐. 또는 그런 증상.

㈎ 이마를 만져 보니 발 열 이 대단하였다.

▲ 발열

Tip_
'가열'은 어떤 대상에 열을 더하여 온도를 높이는 것, '발열'은 대상 자체에서 열이 나는 것.

③

전도

열 또는 전기가 물체 속을 이동하는 일. 또는 그런 현상.

㈎ 금속은 열이 잘 전 도 되는 물질이다.

대류

기체나 액체에서 물질이 이동하면서 열이 전달되는 현상.

㈎ 물을 가열하면 따뜻한 물이 위로 올라가고 차가운 물이 아래로 내려오는 대 류 가 일어난다.

▲ 물의 대류

④

단열

물체와 물체 사이에 열이 서로 통하지 않도록 막음. 또는 그렇게 하는 일.

▲ 단열

단열재

보온을 하거나 열을 차단할 목적으로 쓰는 재료. 열이 전도되기 어려운 물질이 단열재로 쓰임.

㈎ 스티로폼은 단 열 재 로 많이 쓰인다.

Tip_
단열은 열이 통하지 않도록 막는 것, 단열재는 단열을 하기 위해 쓰이는 재료나 물질.

#온도 #속담

Q. 그림과 이어지는 해시태그(#)를 보고 알맞은 속담을 골라 □에 V표 하시오.

불 가져오라는데 물 가져온다 □ / 끓는 물에 냉수 부은 것 같다 □

#열 #속담 #뜨겁다가 #갑분싸 #갑자기_분위기_싸늘 #찬물이_촤아아악 #왜_이리_조용하지?

불 가져오라는데 물 가져온다	끓는 물에 냉수 부은 것 같다
시키는 일과 전혀 딴 일을 함을 비유적으로 이르는 말.	여러 사람이 북적거리다가 갑자기 조용하여짐을 비유적으로 이르는 말.

불 가져오라는데 물 가져온다
↓ 시킨 건 이건데   ↓ 전혀 다른 일을 한다

끓는 물에 냉수 부은 것 같다
↓ 마구 떠들다가   ↓ 갑자기 조용해진다

불, 불, 불!

여기 물 대령이오~

다들 왜 회의 시간만 되면 끓는 물에 냉수 부은 것처럼 아무 말이 없나요?

정답 끓는 물에 냉수 부은 것 같다

Q. 그림과 이어지는 해시태그(#)를 보고 알맞은 사자성어를 골라 ☐에 V표 하시오.

🐰 이열치열 ☐ / 순망치한 ☐

#온도 #열 #뜨거운_것은 #더_뜨거운_걸로 #이에는_이 #힘에는_힘 #같은_것으로_이기다

이열치열

열은 열로써 다스림. 열이 날 때 땀을 낸다든지, 힘은 힘으로 물리친다든지 하는 것을 이를 때에 쓰는 말.

以 熱 治 熱
써 이　더울 열　다스릴 치　더울 열

열을 가지고　열을　다스리다

이열치열로 더위를 이기자!

순망치한

입술이 없으면 이가 시리다는 뜻으로, 가까운 어느 한쪽이 망하면 다른 한쪽도 그 영향을 받아 온전하기 어려움을 이르는 말.

脣 亡 齒 寒
입술 순　망할 망　이 치　찰 한

입술이　없으면　이가　시리다

순망치한이라고 했어.
내가 없으면 너는 다른 집 개들한테 시달릴걸?

나 좀 괴롭히지 매!

정답 이열치열

1 다음은 화씨와 섭씨 중 어떤 온도 단위를 말하는 것인지 쓰시오.

(1) 얼음이 녹는 온도를 0도로 하고 물이 끓는 온도를 100도로 하여 그 사이를 백 등분한 온도 단위. 오늘날 널리 쓰임.	
(2) 얼음이 녹는 온도를 32도로 하고 물이 끓는 온도를 212도로 하여 그 사이를 등분한 온도 단위. 온도를 나타내는 단위로는 처음 쓰임.	

2 다음 문장의 빈칸에 들어갈 말을 보기 에서 골라 써넣으시오.

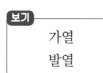
보기

가열
발열

(1) 물을 (   )하여 100도에 이르면 끓기 시작한다.

(2) 감기에 걸렸더니 (   )이 심해져서 병원에 갔다.

(3) 충전을 잘못하면 배터리에서 (   )이 일어나기도 한다.

(4) 철을 녹이려면 1500도 이상의 열로 오랜 시간 (   )해야 한다.

3 단열재로 쓰이는 물질은 어떠한 물질입니까?·······························( )

① 잘 휘어지는 성질을 가진 물질

② 충격에 잘 부서지는 성질을 가진 물질

③ 열에 쉽게 변형이 되는 성질을 가진 물질

④ 열이 잘 전달되지 않는 성질을 가진 물질

⑤ 표면이 차갑고 매끄러운 성질을 가진 물질

4 다음은 어떤 현상을 설명한 것입니까?

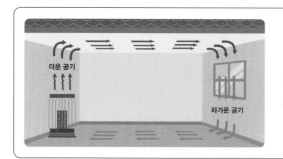

난로를 피우면 따뜻한 공기는 위로 올라가고 차가운 공기는 아래로 내려온다. 이러한 과정이 되풀이되면서 방 전체가 고르게 따뜻해진다.

( )

5 다음 이야기에서 궁지기가 말한 '입술'과 '이'는 각각 무엇을 비유하는 것입니까? ⋯⋯⋯⋯⋯ ( )

> 중국의 여러 나라가 자신의 세력을 넓히기 위해 끊임없이 전쟁을 하던 춘추 시대. 강대국 중 하나였던 진나라의 사신이 우나라에 말과 보석을 가져왔다. 진나라가 우나라 뒤에 있는 괵나라를 치고자 하니 군사가 지날 수 있도록 길을 터 달라는 것이었다.
> 우나라의 신하였던 궁지기는 진나라의 속셈을 짐작하고 임금에게 말하였다.
> "괵나라와 우리 우나라는 붙어 있는 한몸이나 마찬가지입니다. 수레의 굴대가 없어지면 바퀴가 빠지고, 입술이 없어지면 이가 시리다(순망치한)고 하였습니다. 진나라의 침공으로 괵나라가 망하면 우리도 무사하지 못할 것입니다. 결코 진나라의 정벌에 우리가 길을 내주어서는 안 됩니다."
> 그러나 진나라의 선물에 눈이 어두워진 우나라 임금은 궁지기의 말을 듣지 않았다.
> "우리는 진나라와 형제처럼 지내는 나라인데 어찌 진나라가 우리를 해하겠느냐?"
> 궁지기는 탄식을 하며 나라가 곧 망할 것이라는 생각에 우나라를 떠났다.
> 우나라가 길을 열어 준 덕분에 진나라는 큰 어려움 없이 괵나라를 정벌하였다. 그리고 괵나라의 정벌이 끝나자 진나라는 곧 우나라도 공격하였다. 결국 궁지기가 말한 대로 우나라는 진나라에 흡수되고 말았다.

① 입술은 진나라를, 이는 우나라를 말한다.　② 입술은 진나라를, 이는 괵나라를 말한다.

③ 입술은 우나라를, 이는 괵나라를 말한다.　④ 입술은 괵나라를, 이는 우나라를 말한다.

⑤ 입술은 우나라를, 이는 진나라를 말한다.

6 '불 가져오라는데 물 가져온다'의 속담이 알맞은 상황은 어느 것입니까? ⋯⋯⋯⋯⋯⋯⋯⋯ ( )

① 믿었던 이에게 배신을 당하는 상황

② 가까운 데 있는 것을 먼 데서 찾는 상황

③ 시키는 일과 전혀 다른 엉뚱한 일을 하는 상황

④ 어떤 일을 망설이며 결단을 내리지 못하는 상황

⑤ 어려운 형편에 더 어려운 일이 닥치게 되는 상황

7 다음 속담의 뜻으로 보아 빈칸에 들어갈 알맞은 낱말은 무엇입니까? ⋯⋯⋯⋯⋯⋯⋯⋯⋯ ( )

속담	뜻
끓는 물에 [ ] 부은 것 같다	여러 사람이 소란스럽게 떠들다가 갑자기 조용해지는 것을 이르는 말

① 기름　　② 소금　　③ 냉수　　④ 더운물　　⑤ 설탕물

#병

Q. 그림과 이어지는 해시태그(#)를 보고 알맞은 어휘를 골라 □에 V표 하시오.

① 고뿔 □ / 오한 □

#병 #콧물_찔찔 #목_잠김 #이마에_열
#기침_콜록콜록 #순우리말

② 감염 □ / 전염 □

#병 #질병 #감기 #독감 #침_튀기면
#옮겨 #무서운_○○병

③ 발병 □ / 투병 □

#병 #걸렸으면 #이겨야지 #약_먹고
#주사_맞고 #병과_싸우다

④ 진단 □ / 처방 □

#병 #의사가_보고 #어떻게_고칠지
#판단을_내림

정답 ① 고뿔 ② 전염 ③ 투병 ④ 처방

2주

①
고뿔

'감기'를 일상적으로 이르는 말. '감기'의 순우리말.

［예］ 고 뿔 이 들다, 고 뿔 에 걸리다.

오한

몸이 오슬오슬 춥고 떨리는 증상.

［예］ 이틀 동안 오 한 이 가라앉지 않았다.

고뿔이 들어 오한이 나다.

---

②
감염

병원체인 미생물이 몸 안에 들어가 병을 일으키는 일.

［예］ 상처를 놔두면 세균에 감 염 되기 쉽다.

전염

병이 남에게 옮음.

［예］ 감기 환자와 같이 생활하다 보면 전 염 이 되기 쉽다.

Tip_

감염은 병균이 몸에 들어가는 것.
전염은 병에 걸린 환자에게서 같은 병을 옮는 것.

---

③
발병

병이 남.

［참고］ '발병[발뼝]'은 많이 걸어서 발에 생기는 병.

투병

병을 고치려고 병과 싸움.

［예］ 오랜 투 병 생활로 몸과 마음이 지치다.

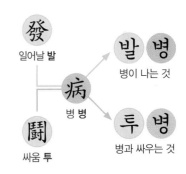

發
일어날 발

病
병 병

鬪
싸움 투

발 병
병이 나는 것

투 병
병과 싸우는 것

---

④
진단

의사가 환자의 병 상태를 판단하는 일.

［예］ 병원에 가서 의사의 진 단 을 받다.

처방

병을 치료하기 위하여 증상에 따라 약을 짓는 방법.

［예］ 의사의 처 방 에 따라 약국에 가서 약을 지었다.

진단에 따라 약을 어떻게 지을지 의사의 처방을 적은 종이가 처방전이에요.

#병 #속담

Q. 그림과 이어지는 해시태그(#)를 보고 알맞은 속담을 골라 ☐에 V표 하시오.

쇠똥도 약에 쓰려면 없다 ☐ / 꿀도 약이라면 쓰다 ☐

#병 #약 #필요한_것 #안_쓸_때는 #잘_보임 #쓰려고_할_때는 #꽁꽁_숨어 #숨은그림찾기

쇠똥도 약에 쓰려면 없다	꿀도 약이라면 쓰다
평소에 흔하던 것도 막상 필요해서 쓰려고 구하면 없다는 말. = 개똥도 약에 쓰려면 없다	좋은 말이라도 충고라면 듣기 싫어함을 비유적으로 이르는 말.

쇠똥도 약에 쓰려면 없다

흔한 것 / 필요해서 구하려고 하면

꿀도 약이라면 쓰다

아무리 좋은 말도 / 충고로 말하면 / 듣기 싫다

여기 있던 손톱깎이 못 봤니?
쇠똥도 약에 쓰려면 없다더니
정작 쓰려고 찾으면 안 보이네.

엄마가 게임 좀 그만하라고 하면
왜 그렇게 인상을 쓰니?

꿀도 약이라면 쓰다는데,
잔소리는 얼마나 싫겠어요?

정답 쇠똥도 약에 쓰려면 없다

#병 #사자성어 🔍

Q. 그림과 이어지는 해시태그(#)를 보고 알맞은 사자성어를 골라 ☐에 V표 하시오.

식자우환 ☐ / 동병상련 ☐

#병 #알면_근심 #배우면_걱정 #알면_알수록 #병만_생겨 #모르는_게_약이다

식자우환

학식이 있는 것이 오히려 근심을 사게 함.
속담 '아는 것이 병'과 비슷한 뜻.

識 字 憂 患
알 식 글자 자 근심 우 근심 환

많이 배우고 아는 사람이 → 걱정과 근심이 많다

아황산가스, 산화질소가 공기에
얼마나 많은데 밖에 나가요?

식자우환이라고,
쓸데없는 걱정을 하는구나.

동병상련

같은 병을 앓는 사람끼리 서로 가엾게 여긴다는
뜻으로, 어려운 처지에 있는 사람끼리 서로 가엾
게 여김을 이르는 말.

同 病 相 憐
한가지 동 병 병 서로 상 불쌍히 여길 련(연)

같은 병에 걸려 → 서로 → 불쌍히 여김

같은 병에 걸리니까
우리들 관계가 더 좋아진 것 같은데?

▲ 동병상련

정답 식자우환

1 다음 문장의 ㉠~㉡을 [조건]에 따라 다른 표현으로 바꾸어 쓰시오.

> ㉠감기에 걸려 ㉡몸이 오슬오슬 춥고 떨렸습니다.

(1) ㉠	[조건] 순우리말로 바꾸기	➡
(2) ㉡	[조건] '오한'을 넣어 바꾸기	➡

2 다음 뜻풀이를 보고 십자말풀이를 완성하시오.

➡가로

❶ 세균이나 바이러스가 몸 안에 들어가 병을 일으키는 일.
　예 상처 속으로 병균이 들어가 ○○을 일으키다.

⬇세로

❷ 병이 남에게 옮는 것.
　예 감기가 유행이니 ○○되지 않도록 마스크를 써야 한다.

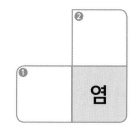

3 다음은 환자와 의사 사이에서 일어나는 일입니다. ㉠ ~ ㉣ 에 들어갈 말이 순서대로 나열된 것은 어느 것입니까? ··· (　　　)

> 감기가 [㉠]한다. ▶ 의사가 환자를 [㉡]한다.
> ▶ 적절한 약을 의사가 [㉢]한다. ▶ 환자가 약을 먹으며 [㉣]한다.

	㉠	㉡	㉢	㉣
①	투병	진단	처방	발병
②	발병	처방	진단	투병
③	발병	진단	처방	투병
④	진단	처방	발병	투병
⑤	발병	진단	투병	처방

4 다음 이야기에서 '동병상련'의 처지로 볼 수 있는 두 대상을 쓰시오.

어디선가 고양이 울음소리가 났다. 가느다란 소리였다. 수현이는 그 소리를 쫓아 집 밖 화단으로 나왔다. 토마토가 심어진 화단 한쪽 구석에 벽돌이 쌓여 있었고, 그 벽돌 뒤에 작은 고양이 한 마리가 바짝 엎드려 있었다. 새끼 고양이는 수현이의 얼굴을 보고 놀랐는지 가르릉거렸다. 그러나 그것도 잠시, 새끼 고양이는 피곤한 듯 눈을 다시 감았다.

'어미가 없나?'

수현이는 주위를 둘러보았다. 주인집이 가꾸는 화단이라 혹시 2층 주인집에서 나온 고양이인가 하고 생각했다. 그러나 그전에는 고양이를 한 번도 본 적이 없다.

조심스럽게 집어든 새끼 고양이의 몸은 무게가 느껴지지 않았다. 대신 수현이의 손바닥에 새끼 고양이의 온기가 퍼졌다. 작은 떨림도 그대로 느낄 수 있었다.

"안 된다."

아버지는 절대 안 된다고 하였다. 동물을 기를 여유도 없거니와 무엇보다 평일에는 새끼 고양이를 돌봐 줄 사람이 없었다.

"왜 맨날 안 된다고만 하세요? 제가 잘 키울 수 있다니까요."

아버지가 일을 나가면 수현이는 방 안에 혼자였다. 말을 나누거나 사소하게 말다툼할 형제도 없었다. 어머니의 얼굴은 기억나지도 않는다. 길고도 긴 하루를 수현이는 오직 책만 읽으며 보냈다. 수현이는 책에서 읽은 말들을 중얼거리는 버릇이 생겼다.

방석 위에 놓인 새끼 고양이는 신음처럼 가르릉 소리를 냈다. 수현이는 새끼 고양이의 가르릉 소리가 자신이 중얼거리는 말소리와 같다고 생각했다. 혼자 남겨진 지독하게도 조용한 세상을 그 소리로 채우고 있는 것이다.

(   )와 (   )

5 다음 빈칸에 들어갈 속담으로 가장 알맞은 것은 어느 것입니까? ·········· (   )

누가 엄마 머리핀 못 봤니? [   ]고 평소에는 그렇게 잘 보이더니 정작 쓰려고 하니까 안 보이네.

① 업은 아이 삼 년 찾는다   ② 바늘 가는 데 실 간다

③ 낫 놓고 기역 자도 모른다   ④ 쇠똥도 약에 쓰려면 없다

⑤ 서당 개 삼 년에 풍월을 읊는다

6 '식자우환'과 비슷한 뜻을 가진 속담으로 볼 수 있는 것은 어느 것입니까? ········· (   )

① 병 주고 약 준다   ② 병에는 장사 없다

③ 꿀도 약이라면 쓰다   ④ 병 자랑은 하여라

⑤ 모르면 약이요 아는 것이 병

#전쟁

Q. 그림과 이어지는 해시태그(#)를 보고 알맞은 어휘를 골라 □에 V표 하시오.

① 침입 □ / 침탈 □

으힛~ 성공~!

앗! 우리 베개를 ○○해 갔다!

아 시끄러워~

#전쟁 #불법으로_들어와 #빼앗기까지_함
#침범하여_빼앗음

② 전투 □ / 전략 □

창문

걔네방

방문

○○을 잘 짜야 이길 수 있어!

끄덕 끄덕

#전쟁 #싸움의_기술 #머리를_잘_써야
#전쟁에서_이기지

③ 분쟁 □ / 논쟁 □

너희들은 정말 크고 작은 ○○이 끊이지 않는구나.

뿍 뺨치기! 빵

#전쟁 #전투 #복잡하고 #어지럽게
#나뉘어 #다툼 #싸울_일이_많아

④ 휴전 □ / 종전 □

타임! 잠깐 ○○하는 게 어때? 헉헉......

그, 그래 좀 쉬었다가 하자. 켁켁...

#전쟁 #잠깐만 #타임! #전쟁도_쉬었다가
#아직_끝난_건 #아니야

정답 ① 침탈 ② 전략 ③ 분쟁 ④ 휴전

①
침입

침범하여 들어가거나 들어옴.

예 적의 침입을 물리치다.

침탈

침범하여 빼앗음.

예 일제의 조선 침탈은 35년이나 이어졌다.

Tip_
침입은 남의 영토에 들어가는 것.
침탈은 남의 영토에 들어가 빼앗는
행위까지 포함.

침 탈 = 침 입 + 약 탈
　　　　습격하여　　빼앗다

②
전투

두 편의 군대가 조직적으로 무장하여 싸움.

예 전투가 벌어지다, 전투를 치르다.

전략

전쟁을 이끌어 가는 방법이나 기술.

예 제갈공명은 전략이 뛰어나 수많은 전투에서
유비에게 승리를 안겼다.

Tip′
전투는 군대가 벌이는 싸움,
전략은 전투에서 이기기 위한
작전이나 방법.

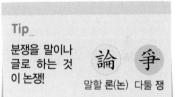

▲전투

③
분쟁

① 갈라져 다툼.
② 말썽을 일으켜 시끄럽고 복잡하게 다툼.

예 종교로 인한 분쟁이 끊이지 않았다.

논쟁

서로 다른 의견을 가진 사람들이 각각 자기의 주장을
말이나 글로 논하여 다툼.

예 에너지 문제로 논쟁을 벌이다.

Tip_
분쟁을 말이나
글로 하는 것
이 논쟁!

論 爭
말할 론(논) 다툴 쟁

자, 덤벼라!

어헛! 말로
하자고. 논쟁!

④
휴전

전쟁 중인 나라끼리 서로 합의하여, 전쟁을 얼마 동안 멈추는 일.

예 남과 북은 현재 휴전 중이므로 다시 전쟁이
일어날 수 있다.

종전

전쟁이 끝남. 또는 전쟁을 끝냄.

예 남과 북의 평화를 위해 종전 선언이 중요하다.

휴전선은 휴전 협정에
따라서 잠시 전쟁을 쉬자고
약속한 경계선을 뜻해요.

#전쟁 #속담

Q. 그림과 이어지는 해시태그(#)를 보고 알맞은 속담을 골라 ☐에 V표 하시오.

🐰 한 번 실수는 병가의 상사 ☐ / 고래 싸움에 새우 등 터진다 ☐

♡ ◯ ◁

#전쟁 #싸움 #다툼에_휘말리면 #나만_손해 #강자_둘_싸움에 #약한_자만_다쳐 #싸움_나면 #튀는_게_상책

한 번 실수는 병가의 상사

전쟁을 하다 보면 한 번의 실수는 늘 있다는 말, 일에는 실패나 실수가 있을 수 있다는 말.

한 번 실수는 병가의 상사
군대에서 / 늘 있는 일

도대체 공을 어디로 차는 거야?

한 번 실수는 병가의 상사!

고래 싸움에 새우 등 터진다

강한 자들끼리 싸우는 통에 아무 상관도 없는 약한 자가 중간에 끼어 피해를 입게 됨.

고래 싸움에 새우 등 터진다
강한 자들의 싸움에 / 약한 삼자가 / 피해를 본다

소 싸움에 강아지 등 터지네!

정답 고래 싸움에 새우 등 터진다

#전쟁 #사자성어 🔍

Q. 그림과 이어지는 해시태그(#)를 보고 알맞은 사자성어를 골라 ☐에 V표 하시오.

임전무퇴 ☐ / 어부지리 ☐

#전쟁 #전투 #신라_화랑 #세속_오계 #싸움에_나서면 #물러서지_않는다 #전진만_있고
#후진은_없어

임전무퇴	어부지리
전쟁에 나아가서 물러서지 않음. 신라 화랑도의 다섯 가지 계율인 세속 오계 중 하나.	두 사람이 서로 싸우는 사이에 엉뚱한 사람이 애쓰지 않고 가로챈 이익을 이르는 말.

臨 戰 無 退
임할 **임**　싸움 **전**　없을 **무**　물러날 **퇴**

싸움에 나서면　　물러남이 없다

漁 夫 之 利
고기 잡을 **어**　사내 **부**　어조사 **지**　이로울 **리**

어부　　　　의　　이득, 이익

▲임전무퇴

이것이 어부지리!

1 다음 문장에 쓰인 '침탈'의 뜻을 둘로 나누었을 때 ⓒ에 들어갈 뜻은 무엇입니까?·················(   )

> 고려 시대부터 왜구의 <u>침탈</u>이 번번이 일어나 백성의 고생이 이루 말할 수 없었다.

ㄱ 침범하다   +   ⓒ

① 들어가다   ② 탈출하다   ③ 탈락하다

④ 약탈하다   ⑤ 도망가다

2 다음 문장의 □□에 들어갈 알맞은 말은 무엇입니까?······················(   )

> 이순신 장군은 학익진을 이용하여 적의 배를 우리 진영의 한가운데로 끌어들인 뒤 적들을 에워싸 공격하는 □□(을)를 세웠다.

① 전투   ② 전쟁   ③ 전략   ④ 휴전   ⑤ 개전

3 '분쟁'과 '논쟁'의 차이를 나타내었습니다. ㉠에 해당하는 것은 무엇입니까?················(   )

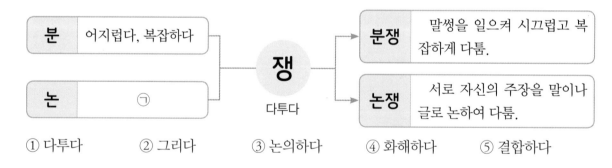

① 다투다   ② 그리다   ③ 논의하다   ④ 화해하다   ⑤ 결합하다

4 남한과 북한 사이에 있는 '휴전선'의 의미를 가장 바르게 이해한 것은 어느 것입니까?················(   )

① 전쟁은 안 되지만 작은 전투는 벌일 수 있게 한 경계선

② 잠시 전쟁을 쉬기로 약속하고 남한과 북한의 경계를 나눈 선

③ 전쟁을 하지 않기로 약속하고 남과 북의 경계를 영원히 나눈 선

④ 다른 나라와 전쟁을 하기로 약속하고 남한과 북한의 경계를 나눈 선

⑤ 남한과 북한의 전쟁이 끝났음을 선포하고 남한과 북한의 경계를 나눈 선

[5~6] 다음 글을 읽고 물음에 답하시오.

조개가 조가비를 활짝 열고 따뜻한 햇볕을 쬐고 있었다.

마침 날아가던 도요새가 입을 활짝 벌리고 있는 조개를 보고 번개같이 달려들어 조갯살을 확 쪼았다. 깜짝 놀란 조개는 조가비를 닫아 도요새의 부리를 물었다. 그렇게 조개와 도요새는 서로를 놓아주지 않고 버텼다.

도요새는 생각했다.

'내일이면 어차피 이 조개는 말라 죽을 거야. 그러면 손쉽게 이 조개를 먹을 수 있어.'

조개도 생각했다.

'내일이면 이 도요새는 지쳐 쓰러질 거야. 그러면 손쉽게 벗어날 수 있어.'

그렇게 둘은 서로 물고 물리며 상대가 쓰러지기만을 기다렸다. 그런데 마침 어부가 이 둘을 보았다. 어부가 다가갈 때까지 둘은 꼼짝도 하지 않았다.

"오호, 이게 웬 떡이냐?"

어부는 조개와 도요새를 한꺼번에 잡아 집으로 돌아갔다. 이것을 두고 사람들은 '어부지리', 즉 '어부의 이익'이라고 말했다.

5 윗글에서 '어부의 이익'이란 어떠한 이익을 말하는 것이겠습니까? ⋯⋯⋯⋯⋯⋯⋯⋯⋯ (　　　)

① 서로 힘을 합하여 모두가 얻게 되는 이익

② 정당한 대가나 노력을 들여 스스로 얻은 이익

③ 어느 한 편에 서서 다른 이를 공격한 대가로 얻게 되는 이익

④ 서로 다투는 두 사람과 관계없는 엉뚱한 이가 얻게 되는 이익

⑤ 다른 사람의 물건을 빼앗거나 부정한 방법으로 손쉽게 얻은 이익

6 ㉠'어부지리'와 ㉡'고래 싸움에 새우 등 터진다'의 가장 큰 의미 차이는 무엇입니까? ⋯⋯⋯⋯ (　　　)

① ㉠은 모두가 이득을 얻지만 ㉡은 모두가 피해를 본다는 점에서 다르다.

② ㉠은 이득을 보는 자가 없지만 ㉡은 이득을 보는 자가 있다는 점에서 다르다.

③ ㉠은 강한 자가 다툼을 벌이고, ㉡은 약한 자가 다툼을 벌인다는 점에서 다르다.

④ ㉠은 엉뚱한 이가 이득을 얻고, ㉡은 엉뚱한 이가 피해를 본다는 점에서 다르다.

⑤ ㉠은 다투는 자가 이득을 얻고, ㉡은 구경하는 자가 이득을 얻는다는 점에서 다르다.

7 '한 번 실수는 병가의 상사'에서 실수에 대해 말하고자 하는 것은 무엇입니까? ⋯⋯⋯⋯⋯⋯⋯ (　　　)

① 실패라고 생각한 일도 달리 보면 성공이 될 수 있다.

② 실수를 하지 않는 유일한 방법은 노력과 연습뿐이다.

③ 한 번의 실수가 돌이킬 수 없는 결과를 가져올 수 있다.

④ 실수는 항상 할 수 있는 것이니 실수를 두려워해선 안 된다.

⑤ 전투에서 실수는 죽음과도 같으니 절대 실수를 해서는 안 된다.

1 다음 십자말풀이를 완성하시오.

⭣세로

❶ 지금 지나가고 있는 이날.

➔가로

❷ 오늘의 바로 다음 날.

2 다음 문장의 ㉠, ㉡과 바꾸어 쓸 수 있는 낱말이 바르게 짝 지어진 것은 어느 것입니까?···( )

> 아버지께서는 휴가 동안 ㉠끊임없이 낚시를 가셨습니다. 허탕을 치는 날이 많았지만 ㉡어쩌다가 한 번씩 내 팔뚝만 한 물고기를 잡아오시기도 했습니다.

	㉠	㉡
①	가끔	매번
②	가끔	줄곧
③	줄곧	간혹
④	줄곧	내내
⑤	매번	줄곧

3 다음 뜻에 알맞은 낱말을 보기 에서 골라 쓰시오.

> **보기**
>
> 양심   본심

(1) 옳고 그름, 선과 악을 가리고 그것을 지키고자 하는 마음. ( )

(2) 본디부터 변함없이 그대로 가지고 있는 마음. ( )

4 보기 의 인물을 '숫기 있는' 사람과 '숫기 없는' 사람으로 구분하시오.

> **보기**
>
> 가영: 많은 사람들 앞에서도 부끄러워하지 않고 노래를 잘 부른다.
> 선희: 혼자 있을 때는 노래를 잘 부르지만 다른 이가 있으면 노래를 못 한다.
> 영우: 처음 보는 사람과는 얼굴도 잘 마주치지 못한다.
> 수영: 처음 만나는 사람에게도 스스럼없이 먼저 말을 건다.

(1) 숫기 있는 사람	
(2) 숫기 없는 사람	

5 다음 문장의 밑줄 그은 부분에 들어갈 알맞은 말을 보기 에서 찾아 써넣으시오.

> **보기**
>
> 가열   발열   대류   전도

(1) 감기에 걸렸는지 이마에 _____ 이 좀 있는 것 같다.

(2) 물을 _____하여 100도에 이르면 끓기 시작한다.

(3) 쇠막대의 한쪽 끝을 가열하면 열이 _____ 되어 다른 한쪽도 뜨거워진다.

(4) 물과 공기는 _____ 현상을 통해 열이 이동한다.

6 '감염'과 '전염'에 대한 설명 중 바르지 <u>않은</u> 것은 어느 것입니까?·······(　)

① '전염'은 병이 남에게 옮는 것이다.

② 전염이 일어나기 쉬운 병이 '전염병'이다.

③ 상처를 소독하는 이유는 '감염'이 될 수 있기 때문이다.

④ 미생물이 몸 안에 들어가 병을 일으키는 것은 '감염'이다.

⑤ 동물과 동물 사이에 병이 옮겨 다니는 것은 '감염'이라고 한다.

7 다음은 '분쟁'과 '논쟁'의 뜻입니다. '쟁(爭)' 자의 뜻은 무엇이겠습니까?·······(　)

| 분(分 나누다) 쟁(爭 □□□□) | 갈라져 다툼. |
| 논(論 논의하다) 쟁(爭 □□□□) | 말이나 글로 논하여 다툼. |

① 맞대다　　② 다투다　　③ 모으다

④ 맞서다　　⑤ 빼앗다

8 다음 두 속담에 쓰인 마음은 어떤 마음인지 보기 에서 골라 쓰시오.

• 알을 두고 온 새의 ㉠마음
• 비둘기는 콩밭에만 ㉡마음이 있다

보기

| 그리운 마음 | 먹고 싶은 마음 |
| 쉬고 싶은 마음 | 불안해하는 마음 |

(1) ㉠: (　　　　　　)

(2) ㉡: (　　　　　　)

9 다음 [속담 A]의 '새우'와 [그림 B]의 강아지의 관계를 나타낼 수 있는 사자성어는 어느 것입니까?·······(　)

[속담 A]

고래 싸움에 <u>새우</u> 등 터진다.

[그림 B]

강아지 살려~

① 임전무퇴　　　② 어부지리

③ 동병상련　　　④ 식자우환

⑤ 순망치한

10 다음 글에서 밑줄 그은 김삿갓의 처지를 가장 잘 드러내 주는 속담은 어느 것입니까?·(　)

　조선 후기의 시인 김병연은 '김삿갓'이라는 이름으로 유명하다. 그가 삿갓을 쓴 이유에 대해 기록으로 남아 있지는 않지만 하늘을 올려다보기가 부끄러워 삿갓을 썼다는 이야기가 있다. 글재주가 뛰어났던 그는 평생 벼슬에 뜻을 두지 않고 <u>이리저리 떠돌아다니며</u> 양반들을 꼬집는 여러 시를 남겼다.

① 알을 두고 온 새의 마음

② 금일 충청도 명일 경상도

③ 쇠똥도 약에 쓰려면 없다

④ 끓는 물에 냉수 부은 것 같다

⑤ 신선놀음에 도낏자루 썩는 줄 모른다

어휘 플러스

세속 오계

삼국 시대의 신라를 얘기하자면 '화랑도'가 빠질 수 없어.

내가 바로 화랑. 삼국 시대 아이돌!

화랑도는 오늘날의 청소년 단체라고 할 수 있어.

청소년 수련 단체와 비슷해.

건강한 몸에, 건강한 정신!

이들은 단체 생활을 하며 경치 좋은 곳을 찾아 몸과 마음을 단련하고 있다가

전쟁이 일어나면 나라를 위해 싸우곤 했어.

뭐? 백제랑 전쟁이 났다고?

모두 출동!

마침 신라에 불교가 널리 퍼지기 시작했는데,

중국 수나라에서 돌아온 원광 법사가 유명했어.

원광이란 분이 그렇게 유명해?

찾아가 보자!

귀산과 추항이라는 화랑이 원광 법사를 찾아 가르침을 청했다고 하지.

그리하여 원광 법사가 화랑이 지켜야 할 다섯 가지 계율을 알려 주었다고 하는데, 세속오계, 또는 화랑오계라고 해.

사군이충 – 충성으로 임금을 섬기고

사친이효 – 효도로 어버이를 섬기고

교우이신 – 믿음으로 벗을 사귀고

임전무퇴 – 싸움에 임해서는 물러서지 않고

살생유택 – 살생은 가려서 하라.

세속오계는 화랑도의 규율이 되고 애국심의 바탕이 되었어. 이는 신라가 삼국 통일을 이룩하는 정신적 자원이 되기도 한 거야.

물론, 현재를 살고 있는 우리에게도 마음에 새겨 둘 만한 가치가 있어.

사고 쑥쑥

1 다음 해시태그와 관련된 어휘는 무엇인지, 오른쪽 글자판에서 글자를 골라 쓰세요.

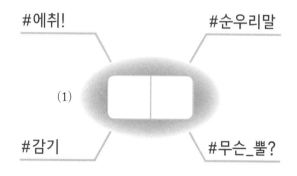

#에취!
#순우리말
(1)
#감기
#무슨_뿔?

고	정	오
기	뿔	한
발	침	열

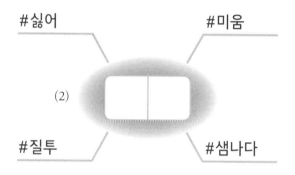

#싫어
#미움
(2)
#질투
#샘나다

심	샘	실
시	통	망
욕	심	기

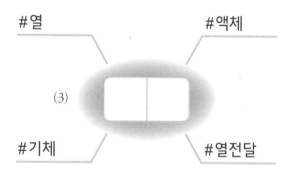

#열
#액체
(3)
#기체
#열전달

전	감	대
류	도	한
발	강	수

2 가로 열쇠와 세로 열쇠를 보고 다음 십자말풀이를 완성하세요.

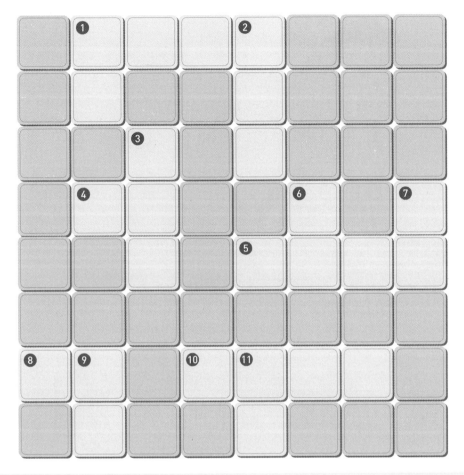

→가로

❶ 어떤 일을 하기에 아직 때가 이름.
❹ 활발하여 부끄러워하지 않는 기운. 예 미나는 ○○가 없어서 발표를 하면 늘 목소리가 작다.
❺ 열은 열로써 다스린다는 뜻의 사자성어.
❽ 두 편의 군대가 조직적으로 무장하여 싸움.
❿ 세속오계 중 하나. 싸움에 나아가 물러서지 않는다는 뜻.

↓세로

❶ 어떤 일을 하는 시간에 차이를 두는 일. 예 기차는 10분의 ○○를 두고 출발한다.
❷ 조마조마하여 마음을 졸임. 또는 그렇게 졸이는 마음.
❸ 자기 자신의 이익만을 꾀하는 마음.
❻ 어떤 물질에 열을 가함.
❼ 열이 남. 또는 열을 냄.
❾ 병을 고치려고 병과 싸움.
⑪ 전쟁에서 이기기 위한 방법이나 책략.

창의·융합·코딩 ❸

논리 쑥쑥

1 다음 뜻에 알맞은 어휘를 찾아 ○표 하며 '도착'까지 길을 표시해 보세요.

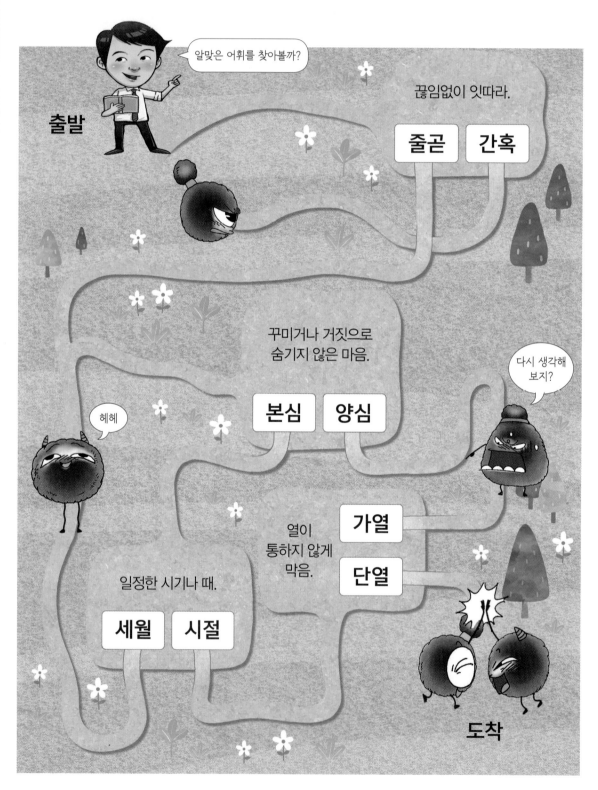

2

보물을 찾기 위해 비밀의 방에 들어왔어요. 내용이 옳으면 ○표, 옳지 않으면 ×표로 이동하면서 보물이 들어 있는 문까지 길을 표시해 보세요.

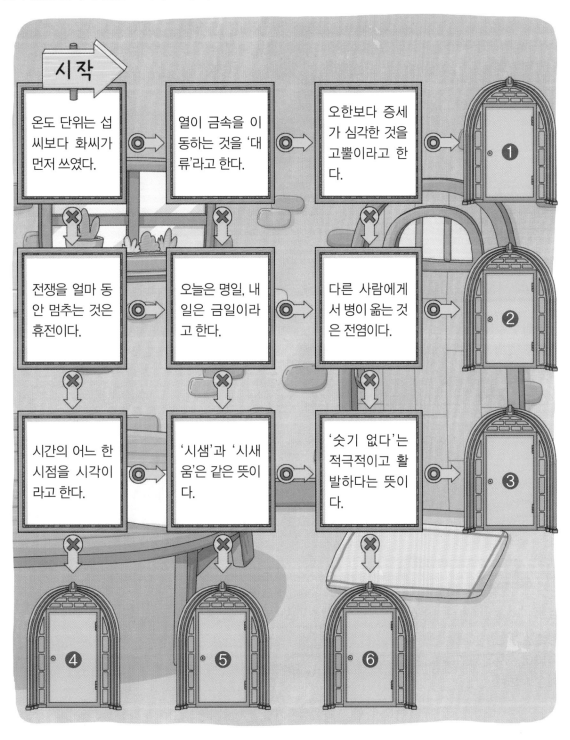

보물이 들어 있는 방의 번호는?

3주에는 무엇을 공부할까? ①

1일 국어 > 성격

성마르다 / 느긋하다
조바심 / 평상심
경솔하다 / 신중하다
빠릿빠릿하다 / 어리숙하다

속담 쇠귀에 경 읽기 / 아무리 바빠도 바늘허리 매어 쓰지는 못한다
관용어 뱃심이 좋다 / 뱃속이 검다

2일 생활 > 식사

숟가락 / 수저
껍질 / 껍데기
알맹이 / 알갱이
밭치다 / 빨다

속담 첫술에 배부르랴 / 찬밥 더운밥 가리다
관용어 입이 짧다 / 입이 궁금하다

3일 과학 > 천체

우주 / 천체
행성 / 항성
적외선 / 자외선
혜성 / 운석

관용어 하늘이 노래지다 / 하늘을 지붕 삼다
사자성어 일출삼간 / 경천동지

4일 생활 > 만남

마중 / 배웅
작별 / 기별
우연 / 필연
참석 / 참여

속담 가는 날이 장날 / 원수는 외나무다리에서 만난다

사자성어 학수고대 / 회자정리

5일 사회 > 나라

건국 / 건설
조국 / 모국
영토 / 영해
주권 / 인권

속담 사람 나고 돈 났지 돈 나고 사람 났나 / 사람 위에 사람 없고 사람 밑에 사람 없다

사자성어 개국 공신 / 천부 인권

어휘 플러스

'오지랖이 넓다'는 무슨 뜻일까?

조바심
―――――
평상심

*조바심은 조마조마하게 마음을 졸이는 것

'조바심'과 '평상심'은 어떤 마음의 상태일까?

1 두 사람 중 '조바심'을 내는 듯한 사람은? ························ (   )

알맹이
―――――
알갱이

*알맹이는 껍데기나 껍질을 벗긴 속 부분, 알갱이는 곡식의 낱알

'알맹이'와 '알갱이'는 어떻게 다를까?

2 다음 밑줄 그은 '알맹이'가 알맞게 쓰인 문장은? ············ (   )

① 신발 속에 모래 알맹이가 들어 있나 봐.

② 봉지가 찢어진 틈새로 신발 알맹이가 삐죽 나왔다.

③ 엄마는 군밤 껍데기를 벗기고 알맹이만 나에게 주셨다.

우주
___
천체

*우주는 공간, 천체는 그 공간 안의 모든 사물

'우주' 속에 '천체'가 있는 걸까, '천체' 속에 '우주'가 있는 걸까?

드넓은 우주 공간에 사는 우리는 정말 먼지 같은 존재구나!

그러게. 인간이나 먼지나.

와, 별들이 엄청 많아!

천체 망원경으로 보면 잘 보여.

3 '우주'와 '천체'의 관계로 보아, ( ) 안의 말 중 알맞은 것을 고르시오.

⑴ 천체는 우주 (안 / 밖)에 있는 모든 사물.

⑵ 우주는 천체를 담고 있는 무한한 (속도 / 공간).

쇠귀에 경 읽기

*아무리 일러 주어도 소용없음

소의 귀에 대고 경을 읽으면 어떨까?

4 다음 그림에서 ㉠ '경'은 어떤 말을 뜻하는 걸까? ·········( )

너 또 이러기야?

헤헤.

정우가 또 내 공책에 낙서했어요.

그렇게 하지 말랬는데도 쇠귀에 ㉠경 읽기구나.

① "엄마한테 이르지 말아라."

② "형 공책에 낙서하지 말아라."

③ "동생한테 미안해하지 말아라."

#성격 🔍

Q. 그림과 이어지는 해시태그(#)를 보고 알맞은 어휘를 골라 □에 V표 하시오.

① 성마르다 □ / 느긋하다 □

#여유_있게 #서두르지_않아 #느릿느릿
#느림의_미학

② 조바심 □ / 평상심 □ ⋯

#조마조마 #마음을_졸임 #마음이_편안하
지_않음 #안달복달

③ 경솔하다 □ / 신중하다 □

#매우_조심스러움 #묵직함 #실수가_적음
#가볍지_않음

④ 빠릿빠릿하다 □ / 어리숙하다 □

#가볍고_빠름 #행동이_매우_날쌤
#똑똑하고_야무짐

정답 ① 느긋하다 ② 조바심 ③ 신중하다 ④ 빠릿빠릿하다

1

성마르다

참을성이 없고 성질이 급하다.

예 나는 아빠를 닮아 성격이 성마른 편이다.

느긋하다

서두르지 않고 마음의 여유가 있다.

예 휴일에는 느긋하게 일어나 늦은 아침을 먹는다.

▲ 성마른 성격　　▲ 느긋한 성격

2

조바심

조마조마하여 마음을 졸임. 또는 그렇게 졸이는 마음.

예 모두 조바심을 내며 합창 대회 심사 결과를 기다렸다.

평상심

특별한 일이 없는 보통 때의 마음.

예 나는 늘 마음 편히 먹고 평상심을 가지려고 해.

마음을 졸이면 —— 조바심

마음을 놓으면 —— 평상심

예 어떤 경우에도 조바심을 내지 말고 평상심을 유지합시다.

3

경솔하다

말이나 행동이 조심성 없이 가볍다.

예 행동이 경솔하면 실수하기가 쉬워.

신중하다

말이나 태도가 가볍지 않고 조심스럽다.

예 재윤이는 모든 일에 신중한 편이다.

輕　率
가벼울 경 거느릴 솔
—— 조심성 없고 가벼움.

愼　重
삼갈 신 무거울 중
—— 매우 조심스러움.

4

빠릿빠릿하다

똘똘하고 행동이 날래다.

예 하준이는 행동이 빠릿빠릿해서 일 처리가 빨라.

어리숙하다

겉모습이나 언행이 치밀하지 못하여 순진하고 어리석은 데가 있다.

예 그는 야무지지 못해 어리숙하게 행동할 때가 많다.

'어리숙하다'와 비슷한말로 '어수룩하다'가 있어.

#성격 #속담 🔍

Q. 그림과 이어지는 해시태그(#)를 보고 알맞은 속담을 골라 ☐에 V표 하시오.

🐰 쇠귀에 경 읽기 ☐ / 아무리 바빠도 바늘허리 매어 쓰지는 못한다 ☐

> 어휴, 또 이랬어?
>
> 헤헤헤, 미안!
>
> 엄마, 정우가 또 내 공책에 낙서했어요!
>
> 어휴, 저 개구쟁이! 아무리 하지 말래도 소용이 없구나.

♡ Q ◁

#조언_충고_가르침 #하나_마나 #알아듣지_못함 #아무리_해도_소용없음 #효과_없음

쇠귀에 경 읽기

소의 귀에 대고 경(글)을 읽어 봐야 단 한마디도 알아듣지 못한다는 뜻. 즉 아무리 가르치고 일러 주어도 알아듣지 못하거나 효과가 없음.

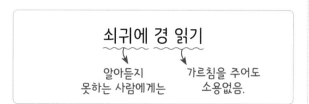

쇠귀에 경 읽기

알아듣지 못하는 사람에게는 → 가르침을 주어도 소용없음.

비슷한 뜻의 사자성어

牛 耳 讀 經
소 우 귀 이 읽을 독 글 경

우이독경 → 소의 귀에 대고 글을 읽음.
➡ 아무리 가르쳐도 알아듣지 못함.

아무리 바빠도 바늘허리 매어 쓰지는 못한다

아무리 급해도 꼭 갖추어야 할 것은 갖추어야 일을 할 수 있음을 비유적으로 이르는 말. 즉 아무리 급해도 절차에 따라 일을 해야 한다는 뜻.

아무리 바빠도 바늘허리 매어 쓰지는 못한다

아무리 급해도 → 절차에 따르지 않으면 → 안 된다.

> 기차 온다! 얼른 타자!

> 기다려! 먼저 차표부터 사야지. 아무리 바빠도 바늘허리 매어 쓰지는 못해.

정답 쇠귀에 경 읽기

#성격 #관용어

Q. 그림과 이어지는 해시태그(#)를 보고 알맞은 관용어를 골라 ☐에 V표 하시오.

뱃심이 좋다

부끄러움이나 두려움 없이 자기 생각을 굳게 지키면서 잘 버틴다는 뜻.

뱃심이 좋다

자기 생각을 굳게 지키는 힘이 → 있다.

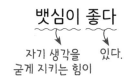

뱃속이 검다

'뱃속'은 마음을 속되게 이르는 말로, '뱃속이 검다'는 것은 마음속에 음흉하고 나쁜 생각을 가진다는 뜻.

뱃속이 검다

마음씨가 → 나쁘다.

정답 뱃심이 좋다

1 빈칸에 들어갈 알맞은 낱말을 골라 ○표 하시오.

(1) 밤늦게까지 연락이 없어서 어찌나 ○○○이 나던지.
(평상심 / 조바심)

(2) 남에게 상처가 될 말을 그렇게 쉽게 하다니 참 ○○하구나.
(경솔 / 신중)

(3) 너무 ○○○게 재촉하지 말고, 결과를 좀 더 ○○○게 기다려 보자.
(성마르(다) / 느긋하(다))   (성마르(다) / 느긋하(다))

2 다음과 같은 뜻을 가진 낱말은 무엇입니까? ( )

말이나 태도가 가볍지 않고 조심스럽다.

① 경솔하다   ② 느긋하다   ③ 신중하다
④ 성마르다   ⑤ 어리숙하다

3 빈칸에 공통으로 들어갈 낱말로 알맞은 것은 무엇입니까? ( )

• 한바탕 소란이 지나가자 사람들은 점차 ○○○을 되찾았다.
• 그가 막말을 하는 바람에 나는 ○○○을 잃고 버럭 화를 냈다.

① 조바심   ② 평상심   ③ 애국심
④ 이기심   ⑤ 자만심

4 다음 인물의 성격으로 빈칸에 들어갈 알맞은 말은 무엇입니까? ( )

학교에서 오자마자, 숙제하고, 예습도 하고, 책상 정리도 다 해 놨어요.

벌써? 아유, ○○○○하기도 해라.

① 경솔
② 어리숙
③ 느릿느릿
④ 빠릿빠릿
⑤ 꾸물꾸물

5 다음 ㉠과 ㉡에 들어갈 성격을 나타내는 말을 알맞게 이으시오.

> 우리나라 전래 동화 중에 이런 이야기가 있지요? 토끼가 호랑이를 속여 개울물 속에 호랑이 꼬리를 집어넣게 하고 자신은 유유히 도망쳤다는 이야기 말이에요.
>
> 이야기의 내용은 대강 이렇습니다. 어느 추운 겨울날 호랑이는 우연히 만난 토끼를 잡아먹으려고 하지요. 그러자 토끼는 꾀를 내어 호랑이에게 물고기를 많이 잡게 해 주겠다면서 개울물 속에 꼬리를 담가 보라고 꼬드기죠. ㉠ 호랑이는 토끼의 말을 곧이곧대로 믿고, 개울물 속에 꼬리를 담그고는 물고기가 꼬리에 달라붙기를 기다렸다지요? 시간이 흘러 개울물이 얼자 꼬리도 함께 얼어붙는 바람에 호랑이는 그만 꼼짝도 못 하게 되고, 토끼는 이 틈을 타서 호랑이를 놀리며 달아난다는 이야기예요.
>
> 이 이야기에 나오는 토끼는 정말 ㉡ 것 같아요. 호랑이에게 잡아먹힐지도 모르는 급박한 상황에서도 당황하거나 겁먹지 않고 자신이 살아나갈 궁리를 짜내서 끝내 무사했잖아요.

(1) ㉠ •   • ① 어리숙한

(2) ㉡ •   • ② 뱃심이 좋은

6 다음 속담의 뜻으로 알맞은 것을 골라 ○표 하시오.

> 아무리 바빠도 바늘허리 매어 쓰지는 못한다

(1) 아무리 좋은 도구가 있어도 일을 할 능력이 부족하다.   (   )

(2) 아무리 급해도 꼭 갖추어야 할 것은 갖추어야 일을 할 수 있다.   (   )

(3) 아무리 좋은 물건이어도 부서지거나 고장이 나면 제대로 쓸 수 없다.   (   )

7 다음과 같은 경우에 쓰일 수 있는 표현을 골라 ○표 하시오.

> 아무리 가르치고 일러 주어도 알아듣지 못하거나 효과가 없는 경우

(1) 뱃심이 좋다 (   )   (2) 쇠귀에 경 읽기 (   )

8 빈칸에 들어갈 알맞은 낱말은 무엇입니까? .... (   )

> 그 사람이 얼굴은 착해 보여도 ○○이 검은 것 같으니 조심하는 게 좋아.

① 뱃심   ② 배짱   ③ 뱃속   ④ 뱃살   ⑤ 뱃길

#식사

Q. 그림과 이어지는 해시태그(#)를 보고 알맞은 어휘를 골라 □에 V표 하시오.

① 숟가락 □ / 수저 □

왜 □은/는 한 벌뿐이지?

전기 먹는 데도 □이/가 필요해?

#숟가락과_젓가락 #셀_때는_한_벌_두_벌
#놓다 #들다

② 껍질 □ / 껍데기 □

사과 □을/를 깎아 줄게.

앗, 미안 너희는 지저분한 것 좋아하는 줄 알고

우린 사과 안 먹는다니까!

이것 좀 치워~!

#물체의_겉 #부드러운_질감 #까다
#칼로_깎다 #손으로_벗겨_내다

③ 알맹이 □ / 알갱이 □

이렇게 비틀어 주면 꼬막 ○○○가 나오지.

이곳은 비틀어야 한대.

잘 안 돼~!

와! 신기 하네요.

#사물의_속 #껍질의_안쪽 #중요한_핵심
#껍질_까고_○○○_먹자

④ 밭치다 □ / 빻다 □

얼굴에 바르려고 숯가루를 □ 있어.

뭐 해?

원투! 원투!

숙숙

에구, 얼굴만 꾸미지 말고 나처럼 운동을 하라니깐.

#잘게_부수다 #가루로_만들다
#고춧가루는_고추를_○○_것

정답 ① 수저 ② 껍질 ③ 알맹이 ④ 빻다

①
숟가락

밥이나 국물 따위를 떠먹는 데 쓰는, 둥글고 오목한 부분과 긴 손잡이가 있는 기구. **준말** 숟갈

예 숟 가 락 으로 국물을 떠먹으렴.

수저

숟가락과 젓가락을 아울러 이르는 말. 또는 숟가락을 달리 이르는 말.

예 식구가 넷이니까 수 저 네 벌이 필요해요.

▲ 수저 (○)   ▲ 수저 (○)
숟가락 (✗)   숟가락 (○)

---

②
껍질

물체의 겉을 싸고 있는 단단하지 않은 물질.

예 굴 껍 질 , 사과 껍 질 , 바나나 껍 질 , 양파 껍 질

껍데기

달걀이나 조개 따위의 겉을 싸고 있는 단단한 물질.

예 조개 껍 데 기 , 굴 껍 데 기 , 달걀 껍 데 기

▲ 껍질   ▲ 껍데기

Tip_
대체로 부드러운 것은 껍질. 딱딱한 것은 껍데기.

---

③
알맹이

물건의 껍데기나 껍질을 벗기고 남은 속 부분.

예 굴껍질을 까고 알 맹 이 만 갈아서 주스를 만들었다.

알갱이

열매나 곡식 따위의 낱알.

예 옥수수 알 갱 이 가 바닥에 떨어져 있다.

▲ 알맹이

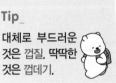

▲ 알갱이

Tip_
알갱이는 '작고 동그랗고 단단한 물질.'을 가리키기도 함.

예 손바닥에 붙은 <u>모래 알갱이</u>를 털었다.

---

④
밭치다

체 같은 데에 부어서 물기를 빼다.

예 국수를 잘 삶아서 체에 밭 쳐 놓으세요.

빻다

방망이 등으로 내리쳐서 부수거나 가루로 만들다.

예 떡을 만들려고 방앗간에서 찹쌀을 빻 아 왔다.

▲ 잘 빻은 고춧가루

2일 생활 어휘

#식사 #속담

Q. 그림과 이어지는 해시태그(#)를 보고 알맞은 속담을 골라 □에 V표 하시오.

첫술에 배부르랴 □ / 찬밥 더운밥 가리다 □

> 열심히 연습하면 나처럼 잘 타게 될 거야.

> 왜 이렇게 자꾸 넘어지지?

> 힝 안 해~!

> 어어어...

> 오늘 처음 배우는 거니까 그렇지.

#처음_드는_숟가락 #처음에는_불만족스러움 #단번에_만족할_수는_없음 #노력이_더_필요

첫술에 배부르랴	찬밥 더운밥 가리다
'첫술'은 음식을 먹을 때 처음으로 드는 숟갈을 말하는 것으로, '첫술에 배부르랴'는 어떤 일이든지 단번에 만족할 수는 없다는 말.	어떤 상황에서 그럴 형편이 안 되는 사람이 이것저것 따지며 까다롭게 굴 때 쓰는 말.

첫술에 배부르랴
↓ 처음 하는 일은 ↓ 만족스럽지 않다.

찬밥 더운밥 가리다
↓ 좋지 않은 것과 좋은 것 중에서 ↓ 좋아하는 것만 가지려고 하다.

> 어휴, 잘 안 되네요.

> 처음엔 다 그래요. 첫술에 배부르겠어요?

> 으, 춥다! 하지만 이 빨간색 목도리는 진짜 맘에 안 들어!

> 찬밥 더운밥 가릴 때가 아닌 것 같은데.

정답 첫술에 배부르랴

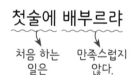

#식사 #관용어 🔍

Q. 그림과 이어지는 해시태그(#)를 보고 알맞은 관용어를 골라 ☐에 V표 하시오.

🐰 입이 짧다 ☐ / 입이 궁금하다 ☐

#음식을_가림 #편식 #까다로운_입맛 #적게_먹음 #안_먹는_음식이_많음

입이 짧다	입이 궁금하다
음식을 심하게 가려서 못 먹거나 싫어하는 음식이 많고 음식을 적게 먹는다는 말.	배가 출출하고 고픈 듯한 느낌이 있어서 무언가 먹고 싶다는 말.=입이 심심하다

입이 짧다
↓   ↓
입맛이 까다롭다.

입이 궁금하다
↓   ↓
무언가를 먹고 든다.
싶은 느낌이

안 먹고
싶어요. ㅠㅠ

그렇게
입이 짧아서
어쩌니?

입이
궁금한데……

정답 입이 짧다

1 빈칸에 들어갈 알맞은 말을 보기 에서 골라 쓰시오.

보기

| 수저 | 숟가락 | 알맹이 | 알갱이 | 껍질 | 껍데기 |

(1) 밥 먹을 사람이 네 명이니 ☐☐ 네 벌을 식탁에 놓아 줘.

(2) 마당에 보리 ☐☐☐를 뿌려 주었더니 닭들이 몰려들었다.

(3) 귤 ☐☐을 말려서 물에 넣고 끓이면 아주 향긋한 차로 마실 수 있어.

2 다음과 같은 뜻을 가진 낱말을 쓰시오.

물건의 껍데기나 껍질을 벗기고 남은 속 부분.

(   )

3 사진을 보고 '껍질'과 '껍데기' 중 알맞은 낱말을 골라 쓰시오.

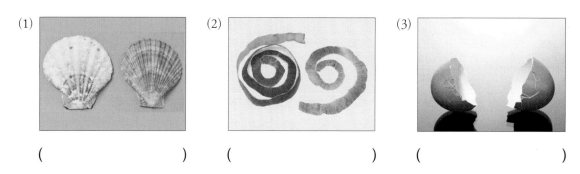

(1)   (2)   (3)

(   )   (   )   (   )

4 빈칸에 들어갈 알맞은 낱말을 골라 ○표 하시오.

삶은 국수를 찬물에 헹구어 채반에 ⬭ 놓았다.

(받쳐 / 빨아)

5 다음 글의 내용과 관련된 속담으로 알맞은 것은 무엇입니까? .... ( )

> "하나, 둘! 하나, 둘!"
> 이 소리는 아빠가 아침 운동을 하는 소리이다. 갈수록 나오는 뱃살을 빼 보겠다고 최근에 운동을 시작하신 것이다. 매일 아침에 일찍 일어나 동네를 한 바퀴 돌고 오신 다음에는 아령을 들고 운동을 하신다. 운동을 시작한 지 오늘로 일주일째이다. 문제는 운동이 끝나면 아빠가 하루도 빠짐없이 줄자로 배 둘레를 재고 체중계에 올라가 몸무게도 재신다는 것이다.
> "어휴, 참, 아직도 그대로네."
> 운동을 하는데도 왜 살이 안 빠지느냐며 아빠는 조바심을 내신다.
> "운동 시작한 지 며칠 안 됐는데 효과가 그렇게 빨리 나타나겠어요? 꾸준히 하면서 좀 더 기다려 봐야죠."
> "흠흠! 그, 그런가요?"
> 엄마의 말씀에 아빠는 멋쩍은 표정으로 슬그머니 체중계에서 내려오신다.

① 한술 더 뜨다
② 첫술에 배부르랴
③ 찬밥 더운밥 가리다
④ 떡 본 김에 제사 지낸다
⑤ 밥 아니 먹어도 배부르다

6 두 사람의 대화와 관련된 관용어를 알맞게 이으시오.

(1)
> 주영: 요즘 난 입맛이 좋아져서 맨날 뭐 먹을 게 없나 하고 찾게 돼.
> 새롬: 실은 나도 그래. 밥 먹고 돌아서면 금방 또 뭔가를 먹고 싶어서 냉장고를 뒤지곤 한다니까.

· ① 입이 짧다

(2)
> 진규: 엄마, 반찬이 왜 이렇게 없어요?
> 엄마: 반찬이 없다니? 나물무침에 된장찌개, 두부부침, 열무김치 등등 얼마나 푸짐하니?
> 진규: 그런 거 다 별로예요. 고기가 없잖아요.

· ② 입이 궁금하다

7 다음과 같은 뜻을 가진 속담은 무엇입니까? .... ( )

> 그럴 형편이 안 되는 사람이 이것저것 따진다는 말.

① 가는 날이 장날
② 첫술에 배부르랴
③ 찬밥 더운밥 가리다
④ 같은 값이면 다홍치마
⑤ 사촌이 땅을 사면 배가 아프다

#천체

Q. 그림과 이어지는 해시태그(#)를 보고 알맞은 어휘를 골라 ☐에 V표 하시오.

① 우주 ☐ / 천체 ☐

이 넓은 ○○에서 이렇게 살기 좋은 지구를 찾아낸 건 다 내 덕분이지.

그러게~!

졸다가 우연히 지구로 떨어진 거잖아.

#드넓고_거대한_공간 #태양_지구_달이_있는_곳 #○○여행_가고_싶다

② 행성 ☐ / 항성 ☐

태양계

먼지 ○○

지구

태양

두고 온 내 고향 먼지 ○○이 생각난다. 훌쩍!

울지 마

지구는 태양 주위를 도는 ○○이야.

#지구는_태양_주위를_도는_○○ #스스로_빛을_내지_않음

③ 적외선 ☐ / 자외선 ☐

선크림을 이 정도는 발라 줘야 ○○○을 차단하지.

힝

넌 누구냐?

#뜨거운_태양 #한여름 #대낮
#살갗_태우기 #선크림_발라서_차단

④ 혜성 ☐ / 운석 ☐

이 돌은 우주에서 떨어진 ○○이에요.

우주 박물관 전시장

우리도 우주에서 떨어졌는데……

#우주에서_떨어진_물질 #돌덩어리
#유성이_타고_남은_것

정답 ① 우주 ② 행성 ③ 자외선 ④ 운석

①

우주

태양, 지구, 달 등 천체를 포함하는 공간. 또는 무한한 시간과 만물을 포함하는 끝없는 공간.

예 우주 여행을 하는 게 내 꿈이야.

천체

우주에 있는 모든 물체. 항성, 행성, 위성, 혜성, 인공위성 따위를 통틀어 이르는 말.

예 어젯밤에 천체 망원경으로 별을 관찰했어.

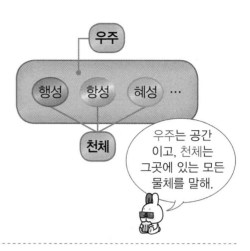

우주는 공간이고, 천체는 그곳에 있는 모든 물체를 말해.

---

②

행성

중심 별이 강하게 끌어당기는 힘 때문에 타원형의 궤도를 그리며 중심 별의 주위를 도는 천체.

예 태양계에는 지구를 비롯한 여덟 개의 행성이 있다.

항성

보이는 위치를 바꾸지 아니하고 별자리를 구성하며, 스스로 빛을 내는 별.

예 태양은 스스로 빛을 내는 항성이다.

Tip_
항성은 태양처럼 스스로 빛나는 별, 행성은 항성의 빛을 받아 반사하는 별.

---

③

적외선

눈에 보이지 않으며 열 작용이 강하고 투과력도 강하여 의료 기기 등에 이용하는 전자기파.

예 허리가 아파 적외선 치료기로 치료를 받았다.

자외선

태양에서 나오는, 눈에 보이지 않으며 파장이 짧은 빛.

예 여름이 되면 자외선이 더 강해질 거야.

▲ 적외선 치료를 하는 모습

---

④

혜성

태양을 중심으로 타원이나 포물선을 그리며 도는, 꼬리가 달린 천체.

예 혜성이 길게 꼬리를 끌며 나타났다.

운석

우주에서 지구의 대기권 안으로 들어와 다 타지 않고 땅에 떨어진 물질.

예 이 구덩이는 운석이 떨어진 흔적이야.

혜성은 먼지로 구성된 얼음덩어리야. 꼬리가 있어서 꼬리별이라고도 불려.

▲ 혜성

3일 교과 어휘 과학

#천체 #관용어

Q. 그림과 이어지는 해시태그(#)를 보고 알맞은 관용어를 골라 □에 V표 하시오.

하늘이 노래지다 □ / 하늘을 지붕 삼다 □

#크게_충격을_받음 #슬픈_일 #뜻밖의_사건 #정신이_아찔해짐 #눈앞이_캄캄해짐

하늘이 노래지다	하늘을 지붕 삼다
갑자기 기력이 다하거나 큰 충격을 받아 정신이 아찔하게 되는 상태를 뜻하는 말.	일정하게 머무는 곳이 없이 바깥에서 아무 데서나 잠을 자며 떠돌아다님을 뜻하는 말.

하늘이 노래지다
하늘이 노랗게 보일 만큼 충격을 받다.

하늘을 지붕 삼다
지붕이 없는 바깥에서 → 떠돌아다니며 살다.

강아지를 잃어버리면 하늘이 노래질 거야.

하늘을 지붕 삼아 떠돈 지도 어언 3년. 오늘 밤은 여기서 지내야겠군.

정답 하늘이 노래지다

Q. 그림과 이어지는 해시태그(#)를 보고 알맞은 사자성어를 골라 ☐에 V표 하시오.

🐰 일출삼간 ☐ / 경천동지 ☐

아니? 연꽃 속에 사람이……

하늘이 놀라고 땅이 움직이겠네!

뭐? 연꽃 속에서 사람이 나왔다고? 이렇게 놀라운 일이! 어서 그 사람을 데려오너라.

네!

♡ ◯ ◁ 🔖

#하늘이_놀라고_땅이_움직임 #세상을_놀라게_함 #사람들이_몹시_놀람

일출삼간	경천동지
해가 장대 세 개의 높이로 올랐다는 뜻으로, 해가 높이 솟아 날이 환하게 밝았음을 이르는 말.	하늘을 놀라게 하고 땅을 뒤흔든다는 뜻으로, 세상 사람들이 모두 놀랐음을 비유적으로 이르는 말.

日 날 **일**　**出** 날 **출**　**三** 석 **삼**　**竿** 장대 **간**

해가 → 장대 세 개의 높이로 ✕ 떠오르다.

驚 놀랄 **경**　**天** 하늘 **천**　**動** 움직일 **동**　**地** 땅 **지**

하늘을 놀라게 하고 / 땅을 움직이게 하다.

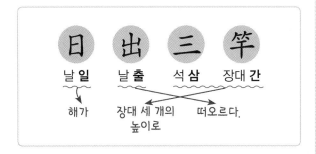

어서 일어나라. 벌써 일출삼간이야.

일요일인데 늦잠 좀 자면 어때요? 조금 더 잘래요.

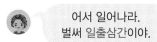

앗, 외계인?

외계인이 나타났다는 소식 들었어?

그럼! 온 세상이 떠들썩하던데. 정말 경천동지할 일이지.

정답 경천동지

1 다음은 무엇에 대한 설명입니까? ·· (   )

> • 태양, 지구, 달 등 천체를 포함하는 공간.
> • 무한한 시간과 만물을 포함하는 끝없는 공간.

① 천체   ② 우주   ③ 행성   ④ 항성   ⑤ 혜성

2 빈칸에 들어갈 알맞은 낱말을 **보기** 에서 찾아 쓰시오.

> **보기**
> 항성   행성   운석   자외선

(1) 지구는 태양계에 속하는 ☐☐ 입니다.

(2) 여름 한낮에는 ☐☐☐ 이 아주 강합니다.

(3) 이 지역에는 거대한 ☐☐ 이 떨어져 생긴 구덩이가 있어요.

3 빈칸에 들어갈 알맞은 낱말을 쓰시오.

```
            ┌─────────────┐
            │             │
            └──────┬──────┘
     ┌─────────┬───┴────┬─────────┐
  ┌─────┐  ┌─────┐  ┌─────┐  ┌───────┐
  │ 행성 │  │ 항성 │  │ 혜성 │  │ 인공위성│
  └─────┘  └─────┘  └─────┘  └───────┘
```

4 다음 뜻에 알맞은 낱말을 이으시오.

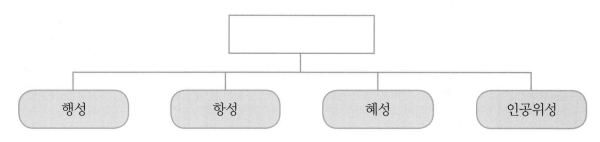

(1) 태양을 중심으로 타원이나 포물선을 그리며 도는, 꼬리가 달린 천체.   •   • ① 항성

(2) 보이는 위치를 바꾸지 아니하고 별자리를 구성하며, 스스로 빛을 내는 별.   •   • ② 혜성

5 다음 글의 빈칸에 들어갈 사자성어로 알맞은 것은 무엇입니까? .... (   )

모험 동경해 집 떠난 아이들, 무사히 돌아와

〈기사 입력〉 ○월 ○일 ○시

●●어린이신문 (=박○○ 기자)

한 마을 어린이 네 명이 일시에 사라져 온 마을이 발칵 뒤집힌 일이 뒤늦게 알려졌습니다. 취재에 따르면, 아이들은 쥘 베른의 모험 소설 "15소년 표류기"를 읽고 모험 여행을 동경해 오다 지난달 26일 밤에 무작정 집을 나선 것으로 밝혀졌습니다. 다음 날 새벽에 한 주민이 마을에서 2킬로미터 정도 떨어진 바닷가에서 잠들어 있던 아이들을 발견해 경찰에 신고함으로써 아이들의 무모한 모험 여행은 일단락됐습니다.

아이들을 발견한 어부 김금면 씨(47세)는 "새벽에 어망을 손보러 나갔다가 아이들이 자고 있길래 깜짝 놀랐죠. 추워서 그런지 웅크리고 서로 엉켜서 잠들어 있었어요."라고 말했습니다. 부모들은 이대로 아이들이 돌아오지 못하고 무슨 사고라도 당했다면 정말 [　　　　　]할 일이 벌어질 수도 있었다면서 가슴을 쓸어내렸습니다.

다행히 아무 이상 없이 부모의 품으로 돌아온 아이들은 자신들의 행동을 반성하며 다시는 부모님의 속을 썩이지 않겠다고 약속했다고 합니다.

① 일출삼간　　　　② 일편단심　　　　③ 경천동지

④ 언행일치　　　　⑤ 언중유골

6 다음과 같은 상황에 어울리는 관용어를 알맞게 이으시오.

(1) 아빠가 젊은 시절에 여행하다가 돈이 떨어져서 땅바닥에 돗자리를 깔고 잤다는 이야기를 들음. ·

· ① 하늘이 노래지다

(2) 모둠원들과 함께 숙제한 내용을 며칠 동안 컴퓨터로 정리했는데 실수로 데이터를 모두 지워 버림. ·

· ② 하늘을 지붕 삼다

7 다음과 같은 뜻을 가진 사자성어는 무엇입니까? .... (   )

해가 장대 세 개의 높이로 올랐다는 뜻으로, 해가 높이 솟아 날이 환하게 밝음.

① 일출삼간　　　　② 경천동지　　　　③ 십시일반

④ 작심삼일　　　　⑤ 십년감수

#만남

Q. 그림과 이어지는 해시태그(#)를 보고 알맞은 어휘를 골라 □에 V표 하시오.

① 마중 □ / 배웅 □

#오는_사람을_맞음 #어서_와 #맞이함
#○○을_나가다

② 작별 □ / 기별 □

#헤어짐 #헤어지는_인사 #○○_인사
#○○을_고하다

③ 우연 □ / 필연 □

#뜻하지_않게_일어난_일 #어쩌다 #뜻밖에
#○○의_일치

④ 참석 □ / 참여 □

#함께 #어떤_일을_같이함 #더불어_함
#자연_보호_운동에_○○

정답 ① 마중 ② 작별 ③ 우연 ④ 참여

①

마중

―――

배웅

오는 사람을 나가서 맞이함. [반의어] 배웅
예 장 보러 가신 엄마를 마중 나가자.

◀ 마중

떠나가는 사람을 따라 나가서 작별 인사를
하여 보냄. [반의어] 마중
예 버스 정류장까지 배웅 해 줄게.

◀ 배웅

---

②

작별

―――

기별

서로 인사를 나누고 헤어짐. 또는 그 인사.
예 전학을 가게 되어 친구들과 작별 했다.

다른 곳에 있는 사람에게 소식을 전함. 또는 그 소식.
예 전학 간 친구에게서 반가운 기별 이 왔다.

Tip_
작별은 헤어질 때 나누
는 인사, 기별은 떨어
져 있는 사람에게 전하
는 소식.

---

③

우연

―――

필연

마땅한 이유 없이 어쩌다가 일어난 일. [반의어] 필연
예 목욕탕에서 짝꿍을 만난 것은 우연 이었다.

우리가 가족이
된 것은 우연이
아니라 필연인
것 같아요.

어떤 일의 결과나 사물의 관계가 반드시 그렇게 될 수
밖에 없음. [반의어] 우연
예 나의 성공은 노력에 따른 필연 의 결과이다.

Tip_
우연은 어쩌다 생긴 일, 필연
은 꼭 생길 수밖에 없는 일.

---

④

참석

―――

참여

회의나 모임 등의 자리에 가서 함께함.
예 엄마는 동창회에 참석 하러 가셨어요.

여러 사람이 같이 하는 어떤 일에 끼어들어 함께 일함.
예 자연 보호 운동에 적극 참여 해 주세요.

席　참석
자리 석　자리를 함께함.
예 회의에 참석

參
참여할 참

與　참여
더불어 여　일을 더불어 함.
예 환경 운동에 참여

5단계 A / **115**

#만남 #속담

Q. 그림과 이어지는 해시태그(#)를 보고 알맞은 속담을 골라 ☐에 V표 하시오.

가는 날이 장날 ☐ / 원수는 외나무다리에서 만난다 ☐

#생각지도_않음 #하필이면 #우연히_일이_생김 #장날인_줄_모르고_갔더니_장날임

가는 날이 장날

일을 보러 가니 공교롭게 장이 서는 날이라는 뜻으로, 어떤 일을 하려고 하는데 마침 그때 생각하지도 않은 일이 생긴다는 말.

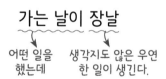

가는 날이 장날

어떤 일을 했는데 → 생각지도 않은 우연한 일이 생긴다.

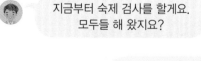

지금부터 숙제 검사를 할게요. 모두들 해 왔지요?

앗? 선생님! 가는 날이 장날이라고, 오늘은 숙제한 것을 안 가져왔는데요.

원수는 외나무다리에서 만난다

꺼리고 싫어하는 대상을 피할 수 없는 곳에서 공교롭게 만나게 됨을 이르는 말.

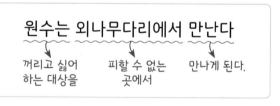

원수는 외나무다리에서 만난다

꺼리고 싫어하는 대상을 → 피할 수 없는 곳에서 → 만나게 된다.

아니! 넌 우리 집안의 원수!

원수는 외나무다리에서 만난다더니……

정답 가는 날이 장날

#만남 #사자성어 🔍

Q. 그림과 이어지는 해시태그(#)를 보고 알맞은 사자성어를 골라 ☐에 V표 하시오.

🐰 학수고대 ☐ / 회자정리 ☐

#학의_목 #목을_길게_뺌 #간절하게_기다림 #○○○○로_바라다

학수고대	회자정리
학이 기다란 목을 빼고 있는 것처럼 목을 길게 빼고 무언가를 몹시 기다릴 때 쓰는 말.	만난 사람은 반드시 헤어지게 되어 있다는 뜻으로, 세상의 모든 것이 덧없음을 나타내는 말.

鶴 首 苦 待
학 **학** 머리 **수** 쓸 **고** 기다릴 **대**

학의 머리처럼 목을 길게 빼고 → 몹시 기다린다.

會 者 定 離
모일 **회** 사람 **자** 정할 **정** 떠날 **리**

만난 사람은 → 헤어짐이 정해져 있다.

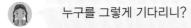

누구를 그렇게 기다리니?

아빠가 선물 사 오신다고 해서, 아빠가 오시기를 학수고대하는 중이지.

회자정리라더니, 입학한 지가 엊그제 같은데 벌써 졸업을 하게 되었습니다.

정답 학수고대

1 낱말의 뜻과 관계를 참고하여 빈칸에 알맞은 낱말을 쓰시오.

오는 사람을 나가서 맞이함.

마중

떠나는 사람을 따라 나가서 작별 인사를 하여 보냄.

2 빈칸에 들어갈 알맞은 낱말을 보기 에서 찾아 쓰시오.

보기

우연　　마중　　작별　　필연　　참석

(1) 두 사람은 서로 [ ][ ] 인사를 하고 헤어졌다.

(2) 영화관에서 그 친구를 만난 것은 [ ][ ]이었다.

(3) 우리가 합창 대회에서 우승한 것은 열심히 노력한 [ ][ ]의 결과야.

3 다음과 같은 뜻을 가진 낱말은 무엇입니까? ⋯⋯⋯⋯⋯⋯⋯⋯⋯⋯⋯⋯⋯⋯⋯⋯⋯⋯⋯⋯⋯⋯ (　　　)

다른 곳에 있는 사람에게 소식을 전함. 또는 그 소식.

① 필연　　　　② 이별　　　　③ 기별　　　　④ 차별　　　　⑤ 우연

4 빈칸에 들어갈 낱말을 알맞게 이으시오.

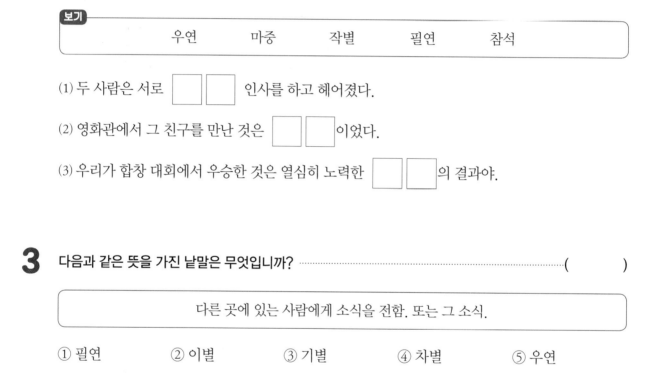

(1) 온실가스 줄이기 운동에 적극 [　　　]해 주세요.

・① 참석

(2) 오늘 이렇게 행사에 직접 [　　　]해서 자리를 빛내 주신 여러분 감사합니다.

・② 참여

5 다음 이야기의 빈칸에 들어갈 속담으로 알맞은 것은 무엇입니까? ⸻⸻⸻ ( )

> "영감, 심심한데 내가 떡을 만들어 줄 테니, 장에 가서 그것으로 이야기 좀 사 오시구려."
> 할머니의 부탁으로 이야기를 사러 간 할아버지는 들에서 만난 농부에게 떡을 주고 이야기를 샀어요. 그런데 그 이야기는 논에 날아온 황새를 보고 농부가 즉석에서 지어낸 것이었죠.
> "훌쩍 넘어온다. 엉금엉금 긴다. 제자리에 선다. 둘레둘레 본다. 콕 집는다. 도망간다."
> 할아버지는 이야기를 잊지 않으려고 계속 입으로 되뇌며 집에 돌아왔어요.
> 저녁을 먹은 다음에, 할아버지는 이야기를 들려주려고 할머니와 마주 앉았어요. 그런데 [   ](이)라더니, 그때 마침 도둑이 담을 넘어오고 있었어요. 할아버지가 "훌쩍 넘어온다." 라고 이야기를 시작했지요. 도둑은 담을 넘자마자 들킨 줄 알고 바짝 엎드려서 엉금엉금 기었어요. 그러자 할아버지가 "엉금엉금 긴다."라고 말했어요. 도둑은 깜짝 놀라 그 자리에 벌떡 일어서 버렸지 뭐예요? 그때 할아버지는 "제자리에 선다."라고 이야기를 이어 갔어요. 도둑은 누가 자기를 지켜보고 있나 하고 여기저기 둘러보았어요. 그러자 할아버지는 "둘레둘레 본다."라고 말했어요. 도둑은 얼른 부엌에 가서 솥 안에 든 고구마라도 가져가려고 그것을 집었지요. 그 순간에 할아버지는 "콕 집는다."라고 말했어요. 이 말을 들은 도둑은 너무 놀라서 집었던 고구마를 떨어뜨린 채 그만 줄행랑을 치고 말았어요. 그런 줄도 모르는 할아버지는 "도망간다."라고 이야기를 마무리 했답니다. 할머니의 열렬한 반응과 우렁찬 박수 속에서 말이에요.

① 가는 날이 장날
② 첫술에 배부르랴
③ 찬밥 더운밥 가리다
④ 가랑비에 옷 젖는 줄 모른다
⑤ 원수는 외나무다리에서 만난다

6 다음 뜻에 해당하는 사자성어를 알맞게 이으시오.

(1) | 만난 사람은 반드시 헤어짐. | •   • ① | 회자정리 |

(2) | 학의 목처럼 목을 길게 빼고 간절히 기다림. | •   • ② | 학수고대 |

7 다음 속담의 뜻으로 알맞은 것은 무엇입니까? ⸻⸻⸻ ( )

> 원수는 외나무다리에서 만난다

① 만난 사람은 반드시 헤어진다.
② 어떤 일을 할 때마다 실수를 한다.
③ 어떤 일이든지 단번에 만족할 수는 없다.
④ 그럴 형편이 안 되는 사람이 이것저것 따진다.
⑤ 꺼리고 싫어하는 대상을 피할 수 없는 곳에서 공교롭게 만난다.

#나라

Q. 그림과 이어지는 해시태그(#)를 보고 알맞은 어휘를 골라 ☐에 V표 하시오.

① 건국 ☐ / 건설 ☐ ⋯

#나라를_세움 #단군_신화는_우리나라_
○○_신화

② 조국 ☐ / 모국 ☐ ⋯

#조상_대대로_살던_나라 #자기의_국적
#○○_통일

③ 영토 ☐ / 영해 ☐ ⋯

#한_나라의_땅 #다스리는_지역 #국토
#○○_분쟁

④ 주권 ☐ / 인권 ☐ ⋯

#인간의_기본_권리 #누구나_당연히_가짐
#○○_보호

정답 ① 건국 ② 조국 ③ 영토 ④ 인권

①

건국

나라가 세워짐. 또는 나라를 세움.
예 조선은 1392년에 건국되었다.

건설

건물이나 시설을 새로 짓는 것.
예 이 지역에서는 아파트 건설이 한창이다.

나는 단군! 고조선을 건국했지.

나는 정조! 수원 화성을 건설했지.

나라를 세우면 — 건국

건물을 세우면 — 건설

---

②

조국

조상 때부터 대대로 살던 나라. 또는 자기의 국적이 속해 있는 나라.
예 우리의 소원은 조국 통일입니다.

모국

자기가 태어난 나라.
예 그는 살아생전에 늘 모국을 그리워 했다.

10년 만의 모국 방문이군.

Tip_
모국은 외국에 있는 사람이 자기 나라를 가리킬 때에 주로 쓰는 말.

---

③

영토

한 나라의 땅. 한 나라의 통치권이 미치는 지역.
예 대한민국의 영토는 한반도와 그 주변의 섬으로 한다.

영해

한 나라의 주권이 미치는 바다의 영역.
예 외국 어선이 우리 영해를 침범하는 사건이 벌어졌다.

土 흙 토 → 영토 다스리는 땅.

領 다스릴 령(영)

海 바다 해 → 영해 다스리는 바다.

---

④

주권

국가의 의사나 정책을 최종적으로 결정하는 권력.
예 대한민국의 주권은 국민에게 있다.

인권

인간으로서 당연히 가지는 기본적인 권리.
예 누구나 인권은 존중받아야 한다.

주권은 '주요한 권리'라는 말인데, 법률적으로는 한 나라의 최고 권력을 뜻해.

#나라 #속담

Q. 그림과 이어지는 해시태그(#)를 보고 알맞은 속담을 골라 □에 V표 하시오.

사람 나고 돈 났지 돈 나고 사람 났나 □ / 사람 위에 사람 없고 사람 밑에 사람 없다 □

어젯밤 화재 현장에 돈 가방을 가지러 들어갔다가 중화상을 입은 사람이 중태에 빠졌습니다.

어머, 어떡해요..

저런! 사람 목숨보다 돈이 더 중요한가? 쯧쯧!

♡ ○ ◁

#돈보다_귀한_사람 #사람이_우선임 #사람이_가장_중요함 #돈밖에_모르면_곤란

사람 나고 돈 났지 돈 나고 사람 났나	사람 위에 사람 없고 사람 밑에 사람 없다
아무리 돈이 귀중하다 하여도 사람보다 더 귀중할 수는 없다는 뜻으로, 돈밖에 모르는 사람을 비난하여 이르는 말.	사람은 누구나 본래 태어날 때부터 권리나 의무가 평등함을 이르는 말.

사람 나고 돈 났지 돈 나고 사람 났나
- 사람이 먼저이고 돈이 나중이지
- 돈이 사람보다 우선이 아니다.

사람 위에 사람 없고 사람 밑에 사람 없다
- 남보다 더 귀하고 높은 사람도 없고
- 남보다 더 천하고 낮은 사람도 없다.

옛날 드라마를 봤는데, 의원이 다 죽어 가는 환자에게 돈을 먼저 가져와야 약을 준다고 하더라고.

세상에! 너무 야박하네. 사람 나고 돈 났지 돈 나고 사람 났나.

인간은 모두 평등해.

맞아. 사람 위에 사람 없고 사람 밑에 사람 없지.

정답 사람 나고 돈 났지 돈 나고 사람 났나

#나라 #사자성어

Q. 그림과 이어지는 해시태그(#)를 보고 알맞은 사자성어를 골라 □에 V표 하시오.

🐰 개국 공신 □ / 천부 인권 □

#누구나_가지고_태어남 #모두가_가진_권리 #인간의_기본_권리 #빼앗으면_안_돼!

개국 공신

나라를 새로 세울 때에 큰 공을 세운 사람들을 뜻하는 말.

開 열 개 　 國 나라 국 　 功 공 공 　 臣 신하 신

나라를 새로 만들 때에 　 공을 세운 신하

나는 조선의 일등 개국 공신이지. 흠흠!

▲ 정도전

천부 인권

하늘이 부여한 인간의 권리라는 뜻으로, 인간이 태어나면서부터 가지고 있는 권리.

天 하늘 천 　 賦 구실 부 　 人 사람 인 　 權 권세 권

하늘이 내려 준 　 사람으로서의 권리

아직도 어떤 나라에서는 여성을 차별하고 사회 활동을 금지한대.

에구, 그 사람들은 천부 인권이라는 말도 모르나?

정답 천부 인권

1 다음과 같은 뜻을 가진 낱말은 무엇입니까? ·· (   )

> 한 나라의 땅. 한 나라의 통치권이 미치는 지역.

① 건국   ② 조국   ③ 영해   ④ 영토   ⑤ 주권

2 빈칸에 들어갈 낱말을 알맞게 이으시오.

(1) 단군신화는 고조선의 [   ]과 관련되어 있는 이야기이다.   ·

· ① 건국

(2) 이 지역에서는 산간 마을 주민들을 위한 도로 [   ] 공사가 진행 중입니다.   ·

· ② 건설

3 다음 설명에 해당하는 낱말을 골라 ○표 하시오.

> • 자기가 태어난 나라를 뜻하는 말이야.
> • 흔히 외국에 있는 사람이 자기 나라를 가리킬 때 주로 쓰이지.

(모국 / 건국   )

4 빈칸에 들어갈 알맞은 말을 보기 에서 골라 쓰시오.

> **보기**
>
> 조국   인권   영해   주권   건설

(1) 인간의 기본 권리를 빼앗는 것은 심각한 [ ][ ] 침해이다.

(2) 일제 강점기는 우리나라의 [ ][ ]을 일본에 빼앗긴 시대였다.

(3) 바다를 사이에 둔 그 두 나라는 오랫동안 [ ][ ] 분쟁을 벌이고 있다.

(4) 1919년 3월 1일에 우리 민족은 [ ][ ]의 독립을 위해 만세를 불렀다.

5 다음 글의 내용과 관련하여 빈칸에 들어갈 속담으로 알맞은 것은 무엇입니까? ·····( )

> 예부터 인도에는 사람들을 네 계급으로 나눈 '카스트'라는 고유의 신분 제도가 있었어요. 그래서 사람들은 태어나면서부터 부모의 계급에 따라 신분이 정해졌고 이는 대대손손 이어졌어요.
>
> 맨 위의 계급은 '브라만'이라는 승려 계급이에요. 브라만은 신에게 제사를 지내고 종교 행사를 맡아서 했지요. 그다음은 '크샤트리아'라고 부르는 귀족과 무사 계급이에요. 이들은 정치와 군사에 관한 일을 맡아서 했어요. 그다음은 평민 계급인 '바이샤'예요. 바이샤는 주로 농사를 짓거나 장사를 하여 생계를 꾸리고 나라에 세금을 내는 일반 사람들이에요. 그다음이 '수드라'라는 계급인데, 이들은 정복당한 다른 민족이나 노예들이었어요. 그리고 이 계급에도 끼지 못하는, 가장 신분이 낮은 사람들을 '불가촉천민'이라고 불렀어요. 접촉할 수 없을 정도로 낮은 사람이라는 뜻이지요.
>
> 이처럼 사람들을 계급에 따라 나눈 제도는 오랫동안 매우 엄격하게 지켜졌어요. 그래서 신분이 다른 사람과는 결혼을 할 수도 없고, 직업도 마음대로 바꿀 수 없으며, 심지어는 음식을 함께 먹는 것도 금지되었어요.
>
> 인권과 평등에 대한 인식이 확산됨에 따라 인도에서도 신분에 따른 차별을 금지하는 등의 노력을 하고 있어요. 하지만 일상에서 사람을 차별하는 일이 완전히 사라진 것은 아니랍니다.

☐☐☐☐(라)는데, 저런 불평등한 사회가 존재했다니 정말 놀랍구나!

① 쇠귀에 경 읽기
② 말 속에 가시 있다
③ 말이란 아 해 다르고 어 해 다르다
④ 사람 나고 돈 났지 돈 나고 사람 났나
⑤ 사람 위에 사람 없고 사람 밑에 사람 없다

6 다음 뜻에 해당하는 사자성어를 알맞게 이으시오.

(1) 사람이 태어나면서부터 가지고 있는 권리. • • ① 개국 공신

(2) 나라를 새로 세울 때 큰 공로가 있는 신하. • • ② 천부 인권

7 다음 속담은 무엇을 뜻하는 것인지 빈칸에 들어갈 말을 알맞게 쓰시오.

> 사람 나고 돈 났지 돈 나고 사람 났나

• 아무리 (1) ☐☐☐ 이 귀중하다 해도 (2) ☐☐☐ 보다 더 귀중할 수는 없다.

1 다음과 같은 사람의 성격을 가리키는 낱말은 어느 것입니까? ·········· ( )

> 참을성이 없고 성질이 급한 사람

① 신중하다
② 느긋하다
③ 성마르다
④ 어리숙하다
⑤ 빠릿빠릿하다

2 다음에서 율이가 한 말로 보아, 율이는 어떤 성격입니까? ·········· ( )

나는 무슨 일을 결정할 때 어떻게 하면 좋을지, 장단점이 무엇인지 등을 꼼꼼하게 생각해.

율이

① 조급한 성격
② 신중한 성격
③ 느긋한 성격
④ 대범한 성격
⑤ 경솔한 성격

3 다음과 같은 사람에게 어울리는 속담은 무엇입니까? ·········· ( )

> 집에 돌아오면 들어오자마자 손을 씻으라고 아무리 말해도 맨날 까먹는 우리 형

① 가는 날이 장날
② 쇠귀에 경 읽기
③ 첫술에 배부르랴
④ 찬밥 더운밥 가리다
⑤ 원수는 외나무다리에서 만난다

4 ㉠과 ㉡에 들어갈 낱말이 알맞게 짝 지어진 것은 어느 것입니까? ·········· ( )

> 오렌지 (㉠)을(를) 벗기니, 노랗게 익은 (㉡)가 먹음직스럽게 모습을 드러냈다.

	㉠	㉡
①	껍질	알갱이
②	껍질	알쟁이
③	껍질	알맹이
④	껍데기	알갱이
⑤	껍데기	알맹이

5 다음 뜻에 알맞은 관용어를 선으로 이으시오.

(1) 마음속에 나쁜 생각을 가짐. · · ① 입이 짧다

(2) 싫어하는 음식이 많고, 적게 먹음. · · ② 뱃속이 검다

(3) 큰 충격을 받아 정신이 아찔해짐. · · ③ 하늘이 노래지다

6 다음에서 설명하는 내용과 관련 있는 낱말은 무엇입니까?································( )

> • 우리 눈에 보이지 않는 빛.
> • 열 작용이 강하고 투과력이 강함.
> • 의료 기기 등에 많이 이용됨.

① 운석   ② 혜성

③ 자외선   ④ 적외선

⑤ 가시광선

7 '천체'에 해당되는 낱말이 <u>아닌</u> 것은 무엇입니까?································( )

① 행성   ② 항성

③ 위성   ④ 우주

⑤ 인공위성

8 다음 대화에 나오는 노인의 처지와 관련 있는 관용어는 무엇입니까?················( )

> 경찰: 어르신, 어서 일어나세요. 여기서 주무시면 안 됩니다. 댁이 어디십니까?
> 노인: 거, 누구요? 난 집도 절도 없는 사람이오. 여기 공원 의자가 내 침대나 마찬가지란 말입니다.

① 입이 짧다

② 뱃속이 검다

③ 입이 궁금하다

④ 하늘이 노래지다

⑤ 하늘을 지붕 삼다

9 글자 카드에서 알맞은 글자를 골라 주어진 낱말의 반대말을 만들어 쓰시오.

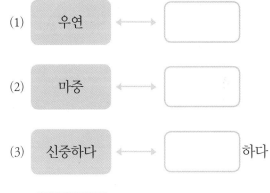

(1) 우연 ←→ [   ]

(2) 마중 ←→ [   ]

(3) 신중하다 ←→ [   ]하다

(4) 성마르다 ←→ [   ]하다

10 다음과 같은 뜻을 가진 사자성어는 무엇입니까?
································( )

> 하늘이 부여한 인간의 권리라는 뜻으로, 인간이 태어나면서부터 가지고 있는 권리.

① 학수고대   ② 경천동지

③ 회자정리   ④ 천부 인권

⑤ 개국 공신

어휘 플러스

오지랖이 넓다

한쪽 오지랖이 넓으면 원래 있어야 하는 자리를 넘어 다른 쪽 자리를 침범하는 것처럼

자신이 있어야 할 자리를 넘어 다른 사람들 일에 참견하는 것을 '오지랖이 넓다'라고 해.

오지랖이 지나치게 넓으면 아무래도 주변 사람들이 불편해하겠지?

사고 쑥쑥

1 떡장수 어머니가 위험하고 나쁜 것들을 물리치고 오누이와 만날 수 있게 OX 퀴즈를 풀면서 미로를 빠져나가 보세요.

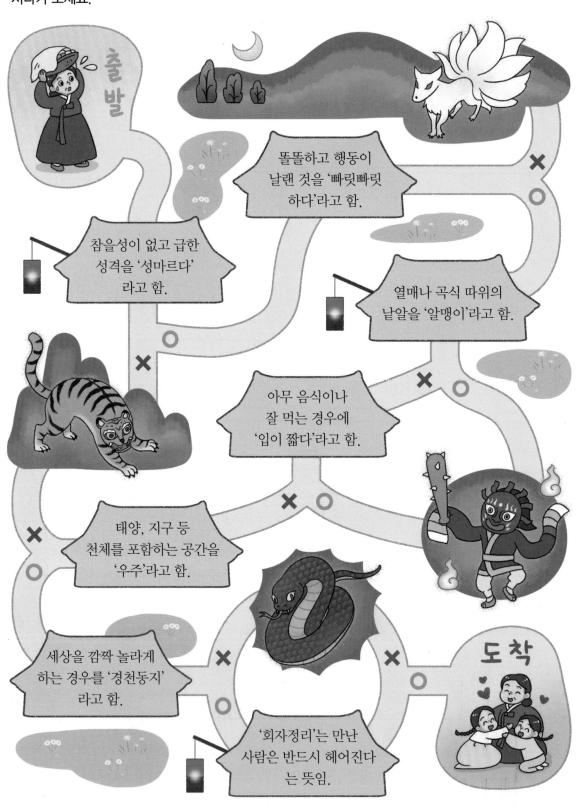

2 다음 단서에서 설명하는 사자성어가 있는 칸으로 이동하려고 합니다. 자신이 있는 위치에서 이동 방향을 알맞게 말한 인물에게 ○표 하세요.

어떤 사자성어에 대한 설명일까요?

 단서 ❶
학의 머리와 관련된 표현입니다.

 단서 ❷
무언가를 몹시 기다릴 때 쓰는 표현입니다.

 단서 ❸
'나는 네가 오기를 [   ] 했어.'와 같이 쓰입니다.

	일출삼간		학수고대
회자정리		경천동지	일석이조
	개국 공신	천부 인권	

이동 방향

↑ 위로 한 칸

왼쪽으로 한 칸 ←   → 오른쪽으로 한 칸

↓ 아래로 한 칸

(1)

↓ ▶ ↓ ▶ →

( )

(2)

→ ▶ ↑ ▶ ←

( )

(3)
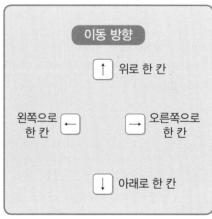

← ▶ ← ▶ ↑

( )

4주에는 무엇을 공부할까? ①

1일 국어 > 연극

희곡 / 시나리오
희극 / 비극
공연 / 상영
배우 / 배역

속담 광대 끈 떨어졌다 / 호랑이 없는 골에 토끼가 왕 노릇 한다
사자성어 다재다능 / 재색 겸비

2일 생활 > 하루

일출 / 일몰
정오 / 자정
백주 / 야밤
칠흑 / 어슴푸레

관용어 / 속담 해가 서쪽에서 뜨다 / 새벽달 보자고 초저녁부터 기다린다
관용어 황혼이 깃들다 / 낮이나 밤이나

3일 과학 > 용액

용해 / 용액
용매 / 용질
혼합물 / 화합물
분리 / 분해

속담 소금도 곰팡 난다 / 소금 먹은 놈이 물켠다
관용어 물과 기름 / 물에 물 탄 것 같다

4일 생활 > 맛

감칠맛 / 얕은맛
알싸하다 / 씁쓰름하다
시금털털하다 / 매콤짭짤하다
달착지근하다 / 짭조름하다

엄마가 끓여 주신 찌개는 감칠맛이 있어요.

수박이 시원하고 달착지근하구나.

속담 뚝배기보다 장맛이 좋다 / 부뚜막의 소금도 집어넣어야 짜다

사자성어 고진감래 / 감탄고토

5일 사회 > 인구

저출산 / 고령화
수도 / 수도권
산업화 / 도시화
인구 밀도 / 인구 분포

우리나라가 고령화 사회라는 게 실감 나네!

대한민국의 수도는?

지구 생활 적응력 테스트

속담 모로 가도 서울만 가면 된다 / 서울 가서 김 서방 찾기

사자성어 사람과 산은 멀리서 보는 게 낫다 / 송곳 세울 틈도 없다

어휘 플러스⁺

시치미를 떼면 누구 매인지 모르겠지?

'시치미를 떼다'는
무슨 뜻일까?

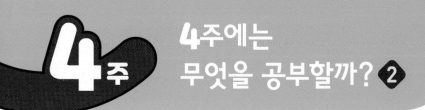

4주에는
무엇을 공부할까? ②

희곡
___
시나리오

*희곡과 시나리오는 각각 무엇을 만들기 위한 대본

'희곡'과 '시나리오'는 무엇을 하기 위한 대본일까?

1 '시나리오'는 무엇을 만들기 위해 쓴 대본일까?·············(   )

① 연극   ② 영화   ③ 무용극

정오
___
자정

*정오는 낮 열두 시

'정오'와 '자정'의 차이는?

2 빈칸에 '정오'가 들어가기에 알맞은 두 가지는?··········(,   )

① 오늘 밤 ◻이/가 지나면 새해가 돼.

② 한여름 ◻의 햇살이 따갑게 내리 쬐고 있어.

③ 우리는 ◻이/가 훨씬 지나서야 점심을 먹었어.

④ 깊은 밤, 어디선가 ◻을/를 알리는 종소리 가 들렸어.

알싸하다

씁쓰름하다

*알싸한 맛은 혀끝을 알알하게 만드는 것

'알싸한' 맛을 내는 식품에는 무엇이 있을까?

3 남주가 먹었을 것으로 생각되는 음식은? ·························(   )

① 간장에 재운 불고기

② 소금을 뿌린 생선구이

③ 겨자 소스를 넣은 샐러드

호랑이 없는 골에 토끼가 왕 노릇 한다

*부족한 사람이 기회를 틈타 세력을 얻으려 함

호랑이와 토끼는 각각 어떤 인물을 비유한 것일까?

4 위 상황에서 호랑이와 토끼에 해당하는 인물을 알맞게 이으시오.

(1)  ·

(2)  ·

· ① 토끼

· ② 호랑이

#연극 🔍

Q. 그림과 이어지는 해시태그(#)를 보고 알맞은 어휘를 골라 □에 V표 하시오.

① 희곡 □ / 시나리오 □

#연극_대본 #연극_무대_공연
#해설_대사_지문

② 희극 □ / 비극 □

#웃음을_주는 #웃기는_연극 #코미디
#비극의_반대

③ 공연 □ / 상영 □

#극장 #스크린 #영사기 #영상을_보여_줌
#영화_○○

④ 배우 □ / 배역 □

#영화_연극_출연 #연기자
#인물을_연기로_표현 #주연_○○

정답 ① 희곡 ② 희극 ③ 상영 ④ 배우

①

희곡

공연을 목적으로 하는 연극의 대본.
예) 그는 우리나라의 대표적인 희곡 작가이다.

시나리오

영화를 만들기 위하여 쓴 각본.
예) 그녀는 시나리오를 보자마자 영화 출연을
결심했다.

> **Tip_**
> 시나리오는 가상으로 꾸며 보
> 는 어떤 사건의 과정이나 그
> 로 인한 결과를 뜻하기도 함.
>
> 예) 그들은 치밀한 시나
> 리오를 짜서 사기 행각
> 을 벌였다.

---

②

희극

웃음을 중심으로 하여 인간과 사회의 문제점을 경쾌하
고 재미있게 다룬 연극. 반의어 비극
예) 나는 슬픈 영화보다 희극 영화를 더 좋아해.

비극

슬프거나 비참한 결말로 끝나는 극. 반의어 희극
예) 이번 주말 드라마는 비극으로 끝났어.

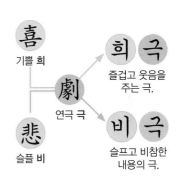

喜 기쁠 희
劇 연극 극
悲 슬플 비

희극 즐겁고 웃음을 주는 극.
비극 슬프고 비참한 내용의 극.

4주

---

③

공연

음악, 무용, 연극 등을 많은 사람들 앞에서 보이는 일.
유의어 상연
예) 막이 오르고 드디어 연극 공연이 시작되었다.

상영

영화를 극장 등에서 화면으로 관객에게 보이는 일.
예) 이 영화는 상영 시간이 세 시간이 넘어.

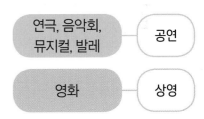

연극, 음악회, 뮤지컬, 발레 — 공연

영화 — 상영

---

④

배우

영화나 연극, 드라마 등에 나오는 인물의 역할을 맡
아서 연기하는 사람.
예) 저는 뮤지컬 배우가 되는 게 꿈이에요.

배역

영화나 연극, 드라마 등에서, 역할을 나누어 배우에게
맡기는 일. 또는 그 역할.
예) 그 배우는 주로 성격이 강한 배역을 맡았다.

> **Tip_**
> 배우는 현실의 인물,
> 배역은 그 배우가 맡
> 은 작품 속의 역할.

일

교과 어휘 국어

#연극 #속담

Q. 그림과 이어지는 해시태그(#)를 보고 알맞은 속담을 골라 □에 V표 하시오.

🐰 광대 끈 떨어졌다 □ / 호랑이 없는 골에 토끼가 왕 노릇 한다 □

#권력을_누림 #뛰어난_사람이_없는_곳 #부족한_사람이_세력을_얻으려_함 #이제부터는_내가_왕!

광대 끈 떨어졌다

광대가 연기를 할 때 탈의 끈이 떨어졌다는 뜻으로, 의지할 데가 없어 꼼짝을 못 하게 됨을 비유적으로 이르는 말.

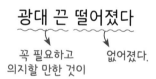

광대 끈 떨어졌다

꼭 필요하고 의지할 만한 것이   없어졌다.

왜 그렇게 우울한 얼굴을 하고 있니?

늘 내 편이었던 이모가 이민을 가신대. 광대 끈 떨어진 것처럼 의지할 데가 없어졌어!

호랑이 없는 골에 토끼가 왕 노릇 한다

뛰어난 사람이 없는 곳에서 보잘것없는 사람이 세력을 얻으려 함을 이르는 말.

호랑이 없는 골에 토끼가 왕 노릇 한다

뛰어난 사람이 없는 곳에서   보잘것없는 사람이   세력을 얻으려 한다.

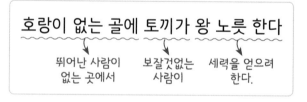

선생님께서 안 계시니까 이제부터는 반장인 내 말을 따라 주었으면 좋겠어.

호랑이 없는 골에 토끼가 왕 노릇 한다더니, 꼭 그런 상황이네.

정답 호랑이 없는 골에 토끼가 왕 노릇 한다

Q. 그림과 이어지는 해시태그(#)를 보고 알맞은 사자성어를 골라 ☐에 V표 하시오.

다재다능 ☐ / 재색 겸비 ☐

#이것저것_재주가_많음 #능력이_뛰어남 #할_수_있는 것이_많음 #다능다재

다재다능	재색 겸비

재주와 능력이 여러 가지로 많음. = 다능다재

어떤 여자가 재주와 아름다운 용모를 두루 갖춤.

다재다능한 사람이군요!

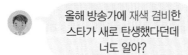

올해 방송가에 재색 겸비한 스타가 새로 탄생했다던데 너도 알아?

정○○ 말이지? 맞아. 외모도 멋있고 연기도 아주 잘하더라고.

정답 다재다능

1 다음과 같은 뜻을 가진 낱말을 쓰시오.

> • 영화를 만들기 위하여 쓴 각본.
> • 가상으로 꾸며 보는 어떤 사건의 과정이나 그로 인한 결과.

(   )

2 밑줄 그은 낱말의 쓰임이 잘못된 것은 어느 것입니까? ⋯⋯⋯⋯⋯⋯⋯⋯⋯ (   )

① 영화 공연 시간에 딱 맞게 극장에 도착했다.
② 음악회 공연 티켓이 있는데 같이 보러 갈래?
③ 올가을에는 클래식 음악회 공연 소식이 아주 많네요.
④ 어린이 연극 공연을 위한 전용 극장이 우리 동네에 새로 생겼다.
⑤ 내가 보고 싶었던 '백조의 호수' 발레 공연을 드디어 볼 수 있게 되었어.

3 다음 ┌─ ㉠ ─┐과 ┌─ ㉡ ─┐에 들어갈 낱말이 알맞게 짝 지어진 것은 무엇입니까? ⋯⋯⋯ (   )

> 기자: 작가님, 이번에 집필하신 ┌─ ㉠ ─┐은 어떤 성격의 작품입니까?
> 작가: 이제까지는 주로 유쾌한 내용의 작품을 써 왔지만, 이번에는 주인공이 슬픈 결말을 맞는
> ┌─ ㉡ ─┐을 써 봤습니다.

	㉠	㉡		㉠	㉡
①	공연	희극	②	희극	비극
③	비극	희곡	④	희곡	비극
⑤	연극	비극			

4 다음 ㉠과 ㉡은 각각 무엇에 해당하는지 알맞은 낱말을 선으로 이으시오.

> 안녕하세요? 저는 이번에 개봉한 영화 '어느 여름 이야기'라는 작품에서 ㉠음악 교사 역할을 맡은 ㉡김○○입니다.

(1) ㉠ •   • ① 배우

(2) ㉡ •   • ② 배역

5 다음 ⓐ 과 ⓑ 에 들어갈 속담을 알맞게 선으로 이으시오.

> 이번에 "우리들의 일그러진 영웅"이라는 소설을 읽었어. 1950년대를 배경으로 한 소설이어서 옛날 학교생활도 엿볼 수 있었고, 초등학교 5학년 학생들이 등장하는 이야기여서 재미있게 읽었어.
>
> 이야기는 주인공 한병태가 30년 전 서울에서 시골 초등학교로 전학 간 일을 회상하는 것으로 시작해. 그곳에는 학급에서 막강한 권력을 휘두르는 반장 엄석대가 있었어. 선생님이 안 계실 때 석대는 마치 자기가 선생님이라도 되는 것처럼 굴었지. 친구들에게 심부름을 시키고, 잘못한 아이에게는 벌을 주고, 심지어 물건을 갈취하기도 하지. 아이들은 그런 석대에게 절대적으로 복종했어. ⓐ 것 같은 이런 분위기가 낯설었던 병태는 처음부터 석대에게 저항을 해. 그렇지만 그 행동은 석대를 비롯한 반 친구들의 따돌림만 불러올 뿐이었어. 병태는 석대의 만행을 선생님에게 고발해 보기도 했지만 선생님은 석대를 절대적으로 믿는지라 별 도움은 안 됐어. 결국 병태는 석대에게 굽히게 되고, 그날부터 병태는 석대의 그늘 아래서 평온한 생활을 하게 되지.
>
> 그런데 6학년이 되어 새 담임 선생님을 만나면서 반전이 시작돼. 그 선생님은 석대를 믿지 않았어. 반장으로 뽑히게 된 과정에도 의심을 품었고, 석대가 좋은 성적을 얻은 것도 수상하게 여겼어. 그래서 병태를 설득해서 석대의 잘못을 알아내지. 결국 석대의 시험지 조작 사건이 드러나고, 이를 계기로 아이들도 그동안에 보고 겪었던 석대의 비행을 모두 털어놓게 되지. 그야말로 ⓑ 격이 된 석대는 학교에 불을 지르고 어디론가 사라진 뒤 아이들의 기억 속에서 잊혀지게 돼.
>
> 이 소설은 부당하게 얻은 권력을 함부로 행사하며 나쁜 짓을 저지르던 인물을 통해 잘못된 권력이 얼마나 나쁜가를 잘 보여 주는 작품인 것 같아.

(1) ⓐ •　　　　　　　•① 광대 끈 떨어진

(2) ⓑ •　　　　　　　•② 호랑이 없는 곳에 토끼가 왕 노릇 하는

6 다음과 같은 경우, 빈칸에 들어갈 알맞은 말은 무엇입니까? ·· (　　　　)

> 우리 아빠는요, 못하는 게 없으세요. 기계를 잘 알아서 고장 난 컴퓨터도 잘 고치고, 목공예 솜씨도 좋아서 의자나 식탁 같은 가구도 멋지게 만들곤 하지요. 취미로 그린 그림으로 전시회를 한 적도 있고요. 운동도 잘해서 아마추어 마라톤 대회에 나가 5등을 한 적도 있답니다. 어때요? 우리 아빠 정말 　　　　　　　　하시지요?

① 언행일치　　　② 다재다능　　　③ 군계일학　　　④ 산해진미　　　⑤ 재색 겸비

Q. 그림과 이어지는 해시태그(#)를 보고 알맞은 어휘를 골라 ☐에 V표 하시오.

① 🐰 일출 ☐ / 일몰 ☐   ...

#하루 #해돋이 #해가_떠오름
#멋진_○○_광경

② 🐰 정오 ☐ / 자정 ☐   ...

#하루 #잘_시간 #밤의_한가운데
#밤_열두_시

③ 🐰 백주 ☐ / 야밤 ☐   ...

#하루 #햇빛_밝은 #환하게_밝은_낮
#○○_대낮

④ 🐰 칠흑 ☐ / 어슴푸레 ☐   ...

#희미한_빛 #흐릿해서_잘_보이지_않음
#빛이_약함

정답 ① 일출 ② 자정 ③ 백주 ④ 어슴푸레

1
일출

해가 떠오름. 반의어 일몰
예 이 사진은 내가 새해 **일출** 장면을 찍은 거야.

일몰

해가 짐. 반의어 일출
예 겨울이 되어서 **일몰** 시각이 빨라졌다.

日 해 일
出 날 출 → 일 출 해가 나옴.
沒 사라질 몰 → 일 몰 해가 짐.

2
정오

낮 열두 시. 반의어 자정
예 오전 수업은 **정오**에 끝난다.

자정

밤 열두 시. 반의어 정오
예 오늘 밤 **자정**이 지나면 새해가 된다.

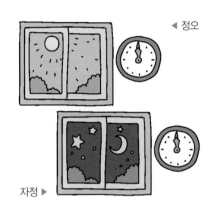

◀ 정오

자정 ▶

3
백주

환하게 밝은 낮. 유의어 대낮
예 **백주**에 그런 일을 하다니 부끄럽지도 않나?

야밤

깊은 밤.
예 이젠 **야밤**에 라면 끓여 먹는 버릇을 고쳐야지.

백주는 '대낮'과 비슷한말이야. 흔히 쓰는 '백주 대낮'은 뜻이 겹치게 되므로 틀린 표현이야.

4
칠흑

옻칠을 한 것처럼 검고 광택이 있음. 또는 그런 빛깔.
예 한밤중이 되자 사방이 **칠흑** 같이 어두워졌다.

어슴푸레

빛이 약하거나 희미한 모양. 또는 분명하게 잘 보이거나 들리지 않고 희미하고 흐린 모양.
예 먼동이 트자 사물이 **어슴푸레** 보였다.

▼ 어슴푸레

▲ 칠흑

#하루 #관용어/속담

Q. 그림과 이어지는 해시태그(#)를 보고 알맞은 관용어나 속담을 골라 □에 V표 하시오.

해가 서쪽에서 뜨다 □ / 새벽달 보자고 초저녁부터 기다린다 □

#예상_밖의_일 #지금까지_없었던_일 #절대로_일어나기_어려운_일 #이게_도대체_무슨_일?

해가 서쪽에서 뜨다

전혀 예상 밖의 일이나 절대로 있을 수 없는 희한한 일을 하려고 하거나 하였을 경우를 비유적으로 이르는 말.

해가 서쪽에서 뜨다
일어날 수 없는 일이 → 일어나다.

웬일로 오늘 이렇게 일찍 일어났니? 해가 서쪽에서 뜨겠구나.

오늘 내 생일이잖아요. 생일잔치할 생각을 하니 저절로 눈이 떠지던데요.

새벽달 보자고 초저녁부터 기다린다

새벽에 뜰 달을 보겠다고 초저녁부터 나가서 기다리고 있다는 뜻으로, 일을 너무 일찍부터 서두름을 비유적으로 이르는 말.

새벽달 보자고 초저녁부터 기다린다
한참이나 여유가 있는 일을 → 너무 일찍부터 서두른다.

다음 달에 수학여행 간대. 얼른 짐 싸야 해.

어휴, 서두르긴! 새벽달 보자고 초저녁부터 기다리는 격이구만.

 정답 해가 서쪽에서 뜨다

#하루 #관용어

Q. 그림과 이어지는 해시태그(#)를 보고 알맞은 관용어를 골라 ☐에 V표 하시오.

황혼이 깃들다

사람의 생애나 나라의 운명 따위가 점점 약해져 마지막에 다다름을 비유적으로 뜻함.

황혼이 깃들다
↓   ↓
마지막에 다다르다.

낮이나 밤이나

언제나 늘. 항상. 밤낮없이.

낮이나 밤이나
↓
언제나

정답 낮이나 밤이나

1 빈칸에 들어갈 알맞은 말을 보기 에서 골라 쓰시오.

보기

일몰 정오 야밤 칠흑

(1) 그는 ☐☐ 같은 어둠 속을 뚫고 마구 달렸다.

(2) ☐☐ 즈음에 거리에는 가로등이 하나둘씩 켜졌다.

(3) 지금 밖에는 한여름 ☐☐ 의 햇살이 따갑게 내리쬐고 있어.

2 밑줄 그은 부분과 같은 뜻을 가진 낱말을 쓰시오.

오늘 밤 열두 시가 지나면 새해가 시작되는 거야.

( )

3 다음 중 '어슴푸레'의 뜻으로 가장 알맞은 것은 어느 것입니까? ·············· ( )

① 색깔이 선명한 상태.
② 색깔이 알록달록한 모양.
③ 빛이 완전히 가려진 상태.
④ 빛이 약하거나 희미한 모양.
⑤ 빛이 쉴 새 없이 깜박이는 모양.

4 하루 시간의 흐름에 따라 ㉠~㉣을 차례대로 늘어놓으시오.

㉠ 백주 ㉡ 일몰 ㉢ 야밤 ㉣ 일출

( ) → ( ) → ( ) → ( )

5 다음 표현의 뜻으로 보아, 빈칸에 들어갈 알맞은 말은 무엇입니까? ·············· ( )

☐☐☐ 이 깃들다: 사람의 생애나 나라의 운명 따위가 점점 약해져 마지막에 다다르다.

① 자정 ② 일몰 ③ 황혼 ④ 야밤 ⑤ 칠흑

[6~7] 다음 글을 읽고 물음에 답하시오.

어느 날 맹자의 제자 공손추가 맹자에게 *호연지기에 대해 물었대. 맹자는 호연지기는 자신의 내부에 있는 의로움이 쌓여서 생기는 것이지만, 저절로 되는 것이 아니고 호연지기를 기르겠다는 의지를 가지고 열심히 노력해야 한다고 했어. 그러고는 다음 이야기를 들려주었어.

중국 송나라에 아주 성미 급한 농부가 있었어. 그는 밭에 곡식의 씨를 뿌린 후 싹이 빨리 트지 않는다고 조바심을 냈어. 며칠 후, 드디어 싹이 나왔지만 그는 여전히 투덜거렸어.

"어허, 왜 이렇게 싹이 빨리 자라지 않는 거지? 곡식들아, 어서어서 쑥쑥 자라라!"

그는 ㉠낮이나 밤이나 밭에 나가 싹을 들여다보며 곡식이 빨리 자라기를 고대했어. 그러던 어느 날 그는 더 이상 참지 못하고 곡식 줄기를 모두 위로 뽑아 올렸어. 겉보기에 곡식은 부쩍 자란 것처럼 보였지만, 뿌리는 거의 땅에서 뽑힐 지경이 되고 말았지. 저녁이 되어 그는 피곤한 기색으로 집에 돌아와서는 가족들에게 생색을 내며 말했어.

"오늘은 정말 힘든 하루였다. 내가 곡식의 싹이 빨리 자라도록 도와주었기 때문이지."

깜짝 놀란 아들이 밭으로 달려가 보니 뿌리가 뽑혀 올라온 싹들은 이미 시들어 버렸다는 거야.

맹자는 공손추에게 이 이야기를 들려주며 호연지기를 기르는 일은 송나라 사람처럼 해서는 안 된다고 했지. 즉 곡식을 기를 때처럼 해야 할 일은 열심히 하되, 결과에 집착해서 억지로 자라게 해서는 안 된다고 말이야.

* 호연지기: 넓고 큰 마음과 굳은 신념.

6 이 이야기에 나오는 송나라 사람의 성격과 관련 있는 속담은 무엇입니까? ·············· ( )

① 해가 서쪽에서 뜨다
② 고래 싸움에 새우 등 터진다
③ 원수는 외나무다리에서 만난다
④ 신선놀음에 도낏자루 썩는 줄 모른다
⑤ 새벽달 보자고 초저녁부터 기다린다

7 ㉠과 바꾸어 쓸 수 없는 말은 무엇입니까? ··············· ( )

① 늘   ② 항상   ③ 때때로   ④ 언제나   ⑤ 밤낮없이

8 다음과 같은 표현이 어울리는 경우는 무엇인지 ○표 하시오.

해가 서쪽에서 뜨다

(1) 평소에 공부를 하지 않던 소웅이는 시험 기간에도 놀았어.   ( )
(2) 늘 지각만 하던 영후가 어느 날 반에서 제일 먼저 등교를 했어.   ( )
(3) 길에서 잃어버린 줄 알고 찾아다녔던 강아지가 침대 밑에서 자고 있었어.   ( )
(4) 미술 준비물을 안 가져온 민이는 짝이 구겨진 색종이를 빌려줬다고 화를 냈어.   ( )

#용액

Q. 그림과 이어지는 해시태그(#)를 보고 알맞은 어휘를 골라 □에 V표 하시오.

① 용해 □ / 용액 □

#두_가지_이상의_물질이_섞인_액체
#설탕_○○

② 용매 □ / 용질 □

#무언가를_녹이는_물질
#용액을_만들_때의_액체 #물이나_기름

③ 혼합물 □ / 화합물 □

#여러_가지가_뒤섞임 #한데_합해짐 #뒤섞인_물질

④ 분리 □ / 분해 □

#서로_나뉘어_떨어짐 #결합되지_않음
#쓰레기_○○수거

정답 ① 용액 ② 용매 ③ 혼합물 ④ 분리

①
용해

녹거나 녹이는 일.
㉲ 물에 설탕을 넣어 용해 시켜 볼까요?

용액

두 가지 이상의 물질이 고르게 섞인 액체.
㉲ 소금을 물에 녹이면 소금물 용액 이 만들어집니다.

용액을 만들 때, 물의 온도가 높으면 용해가 더 빨리 이루어져.

②
용매

어떤 물질을 녹이는 데 쓰는 액체. 또는 액체를 액체에 녹일 때 양이 많은 쪽의 액체.
㉲ 설탕물 용액을 만들 때 물을 용매 라고 한다.

용질

용액에 녹아 있는 물질. 액체에 다른 액체가 녹아 있을 때에는 양이 적은 쪽을 가리킴.
㉲ 소금물 용액에서 용질 은 소금이다.

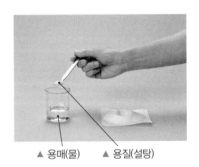
▲ 용매(물)　　▲ 용질(설탕)

4
주

③
혼합물

여러 가지가 뒤섞여 한데 합해진 물질.
㉲ 좁쌀과 쌀이 섞인 혼합물 은 체로 거르면 쉽게 분리할 수 있다.

화합물

두 개 이상의 원소가 만나 화학 작용을 통해 새롭게 만들어진 물질.
㉲ 물은 산소와 수소가 결합하여서 만들어진 화합물 이다.

▲ 혼합물 분리

④
분리

서로 나뉘어 떨어짐. 또는 그렇게 되게 함.
㉲ 물과 기름은 안 섞이고 분리 되어 층을 이룬다.

분해

화합물을 두 가지 이상의 간단한 물질로 나눔. 또는 여러 부분이 결합되어 이루어진 것을 낱낱으로 나눔.
㉲ 이것은 몸속의 지방을 분해 하는 역할을 한다.

▲ 분리된 물과 기름

Tip_
분리는 혼합물을 성분 물질로 나누는 것. 분해는 화합물을 성분 물질로 나누는 것.

#용액 #속담

Q. 그림과 이어지는 해시태그(#)를 보고 알맞은 속담을 골라 □에 V표 하시오.

소금도 곰팡 난다 □ / 소금 먹은 놈이 *물켠다 □

어머, 누가 여기 놔둔 피자를 다 먹은 거야?

이 녀석! 너였구나!

#모든_일에는_까닭이_있음 #짠_것을_먹으면_물을_먹게_됨 #원인에_맞게_결과가_따라옴

＊ 물켜다: 물을 한꺼번에 많이 마시다.

소금도 곰팡 난다

절대 상하지 아니할 것이라고 생각하는 소금도 상할 때가 있다는 뜻으로, 무슨 일이든 절대 탈이 생기지 아니한다고 장담할 수는 없다는 말.

소금도 곰팡 난다
→ 절대적으로 믿을 만하다고 생각되는 것도
→ 잘못될 수가 있다.

소금 먹은 놈이 물켠다

짠 소금을 먹으면 물을 마시게 되어 있는 것처럼, 무슨 일이든 거기에는 반드시 그렇게 된 까닭이 있음을 비유적으로 이르는 말.

소금 먹은 놈이 물켠다
→ 어떤 일을 한 원인에 따라
→ 그 결과에 맞는 행동을 한다.

저 다리는 아주 튼튼해서 절대 무너지지 않을 거래.

소금도 곰팡 난다는데, 그래도 조심해야지.

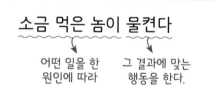

쟤는 오늘 아무것도 안 먹었다면서 왜 그렇게 화장실에 자주 갈까?

맞아! 소금 먹은 놈이 물켠다고, 뭘 잔뜩 먹은 것 같지 않아?

정답 소금 먹은 놈이 물켠다

Q. 그림과 이어지는 해시태그(#)를 보고 알맞은 관용어를 골라 ☐에 V표 하시오.

🐰 물과 기름 ☐ / 물에 물 탄 것 같다 ☐

#잘_안_맞음 #서로_어울리지_않음 #잘_섞이지_않음 #분리됨

물과 기름

물과 기름이 서로 섞이지 않는 것처럼 서로 어울리지 못하여 겉도는 사이를 말함.

> **물과 기름**
> ↓
> 서로 어울리지
> 않는 사이

물에 물 탄 것 같다

아무 맛이 없는 물처럼 싱겁다는 뜻으로, 어떤 음식이 아무 맛도 없고 싱거울 때 쓰는 말.

> **물에 물 탄 것 같다**
> ↓   ↓
> 아무 맛이   아무 맛이 없는
> 없는 것에   것을 넣어 싱겁다.

비슷한 표현

물에 물 탄 듯 술에 술 탄 듯

뜻 자기의 의견이나 주장이 없고 말이나 행동이 분명하지 않음.

예 그 친구는 물에 물 탄 듯 술에 술 탄 듯 무슨 일에든 별로 반응이 없어.

정답 물과 기름

[1~2] 설탕물을 만드는 과정을 담은 사진을 보고 물음에 답하시오.

▲ 설탕을 물에 넣기   ▲ 녹이기   ▲ 설탕물

1 이 사진의 내용을 설명한 글의 빈칸에 들어갈 알맞은 낱말을 각각 쓰시오.

실탕을 물에 ☐☐ 시켜 설탕물 ☐☐ 을/를 만드는 과정

2 ㉠과 ㉡을 각각 무엇이라고 하는지 알맞은 것끼리 선으로 이으시오.

(1) ㉠ 물 ·   · ① 녹는 물질 ·   · ㉮ 용매

(2) ㉡ 설탕 ·   · ② 녹이는 물질 ·   · ㉯ 용질

3 다음과 같은 뜻을 가진 낱말에 ○표 하시오.

두 개 이상의 원소가 만나 화학 작용을 통해 새롭게 만들어진 물질.

(1) 혼합물 (   )

(2) 화합물 (   )

4 다음 ㉮와 ㉯에 들어갈 낱말이 차례대로 묶인 것은 어느 것입니까? ·························· (   )

화합물인 물을 산소와 수소로 나누는 것을 ☐㉮☐ 라고 하고, 혼합물인 좁쌀과 쌀을 나누는 것을 ☐㉯☐ 라고 한다.

① 분리 – 분리   ② 분리 – 분해   ③ 분해 – 분리

④ 분해 – 분해   ⑤ 분수 – 분리

5 다음 글의 빈칸에 공통으로 들어갈 말로 알맞은 것은 무엇입니까? ·························· (   )

> 소영: 와! 멋지다! 이게 뭐야? 여러 가지 색깔이 어우러져서 환상적인 느낌이 나는데?
>
> 민준: 이건 마블링이라는 미술 기법을 이용해서 그린 그림이야.
>
> 소영: 마블링? 어떻게 하는 거야?
>
> 민준: 마블링은 미술 기법의 한 가지인데, [   ]이/가 서로 어울리지 않는 성질을 이용하여 꾸미는 거야. 무늬가 대리석처럼 생겼다고 해서 '마블(marble: 대리석)링'이라는 이름이 붙었어.
>
> 소영: 어떻게 만드는 거니? 나도 좀 가르쳐 줘.
>
> 민준: 그래. 준비물로는 쟁반처럼 넓은 그릇, 물, 유성 물감, 막대가 필요해. 우선 넓은 그릇에 물을 담아. 그 위에 여러 가지 색의 유성 물감을 여기저기 떨어뜨린 다음 막대로 살짝 저어 줘. 그러면 대리석 무늬처럼 아름다운 무늬가 생겨. 원하는 형태가 나올 때까지 저은 다음에 그 위에 종이나 헝겊을 살짝 펼쳐 두었다가 떼어 내는 거야. 그러면 그 무늬가 그대로 묻어나지.
>
> 소영: 이걸 보니 정말 [   ]은/는 섞이지 않는구나. 그래서 서로 어울리지 못하고 겉도는 사이를 [   ] 같다고 하나 봐.
>
> 민준: 마치 우리 사이처럼? 하하, 농담이야!
>
> 소영: 우리 사이는 물과 불이지. 내가 물이고 네가 불. 넌 나한테 꼼짝 못 하잖아. 하하!

① 물 쓰듯   ② 물과 불   ③ 물과 기름

④ 물 만난 고기   ⑤ 물에 빠진 생쥐

6 다음과 같이 말하는 친구에게 들려줄 만한 속담은 무엇입니까? ·························· (   )

> 나는 워낙 건강한 체질이라 절대 아프지 않을 거야. 장담할 수 있어.

① 소금도 곰팡 난다

② 찬밥 더운밥 가리다

③ 소금 먹은 놈이 물켠다

④ 쇠똥도 약에 쓰려면 없다

⑤ 개구리 올챙이 적 생각 못 한다

7 다음과 같은 뜻을 가진 표현은 무엇입니까? ·························· (   )

> 아무 맛이 없는 물처럼 싱겁다.

① 물 쓰듯   ② 물에 물 탄 것 같다

③ 변덕이 죽 끓듯 하다   ④ 물인지 불인지 모르다

⑤ 끓는 물에 냉수 부은 것 같다

#맛

Q. 그림과 이어지는 해시태그(#)를 보고 알맞은 어휘를 골라 ☐에 V표 하시오.

① 감칠맛 ☐ / 얕은맛 ☐ ⋯

#맛깔스러움 #조미료 #입맛이_살아남
#입에_착_감기는_맛

② 알싸하다 ☐ / 쌉쓰름하다 ☐ ⋯

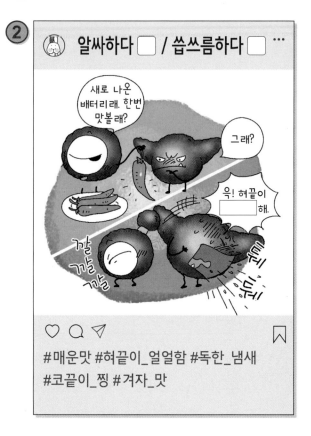

#매운맛 #혀끝이_얼얼함 #독한_냄새
#코끝이_찡 #겨자_맛

③ 시금털털하다 ☐ ⋯
　　/ 매콤짭짤하다 ☐

#시큼한_맛 #떫은맛 #시고_떫은_맛
#덜_익은_감을_먹으면

④ 달착지근하다 ☐ ⋯
　　/ 짭조름하다 ☐

#맛이_달다 #달콤한_맛 #설탕 #맛있는_맛
#☐☐☐한_수박

1

감칠맛

음식물이 입에 당기는 맛깔스러운 맛.

예 된장찌개가 아주 감칠맛이 나네요.

얕은맛

진하지 않으면서 산뜻하고 부드러운 맛.

예 열무김치가 시원하고 얕은맛이 나서 좋아요.

> 감칠맛은 강렬하지 않고 순하지만 입맛을 돋게 하는 맛깔스러운 맛이야.

2

알싸하다

매운맛이나 독한 냄새 따위로 코 속이나 혀끝이 알알하다.

예 샐러드에 겨자가 많이 들어가서 맛이 알싸하다.

쌉쓰름하다

조금 쓴맛이 나는 듯하다. 유의어 쌉쓰레하다

예 씀바귀나물은 쌉쓰름한 맛이 있다.

▲ 알싸한 고추냉이

◀ 쌉쓰름한 씀바귀

3

시금털털하다

맛이나 냄새 따위가 조금 시면서도 떫다.

예 이 감은 덜 익어서 시금털털한 맛이 난다.

매콤짭짤하다

좀 매우면서 짠맛이 있다.

예 이 김치는 너무 매콤짭짤해요.

> Tip
> 두 가지의 맛을 함께 표현하는 낱말에는 '새콤달콤, 달콤새큼, 새큼달큼, 시큼쌉쌀' 등이 있음.

4

달착지근하다

약간 달콤한 맛이 있다.

예 군고구마가 달착지근한 게 아주 맛있네요.

짭조름하다

조금 짠맛이 있다.

예 나는 짭조름한 쇠고기 장조림을 좋아한다.

> 달착지근한 고구마! 맛있겠다!

▲ 달착지근한 고구마

▲ 짭조름한 장조림

#맛 #속담

Q. 그림과 이어지는 해시태그(#)를 보고 알맞은 속담을 골라 □에 V표 하시오.

뚝배기보다 장맛이 좋다 □ / 부뚜막의 소금도 집어넣어야 짜다 □

#좋은_조건 #쉬운_일 #실행이_중요함 #직접_해야_함

뚝배기보다 장맛이 좋다	부뚜막의 소금도 집어넣어야 짜다
겉모양은 보잘것없으나 내용은 훨씬 훌륭함을 이르는 말.	아무리 좋은 조건을 갖추었거나 쉬운 일도 직접 실행하지 않으면 아무 의미가 없음을 이르는 말.

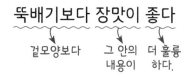

뚝배기보다 장맛이 좋다

겉모양보다 / 그 안의 내용이 / 더 훌륭 하다.

부뚜막의 소금도 집어넣어야 짜다

쉬운 일 또는 좋은 조건을 갖춘 일도 / 직접 실행 해야 / 의미가 있다.

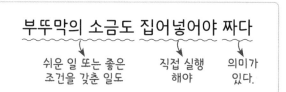

새 글러브를 샀으니 이제 야구를 잘할 수 있겠지?

부뚜막의 소금도 집어넣어야 짜다고, 연습을 열심히 해야 야구를 잘하지.

에어컨 새로 샀네? 근데 디자인이 별론데?

뚝배기보다 장맛이 좋다고, 이건 소음도 없고 성능도 아주 좋아.

정답 부뚜막의 소금도 집어넣어야 짜다

Q. 그림과 이어지는 해시태그(#)를 보고 알맞은 사자성어를 골라 ☐에 V표 하시오.

고진감래 ☐ / 감탄고토 ☐

♡ 🗨 ✈   🔖

#쓴맛_뒤의_단맛 #괴로움_끝 #즐거움_시작 #고생_끝에_낙이_옴

4주

고진감래

쓴 것이 다하면 단 것이 온다는 뜻으로, 고생 끝에 즐거움이 옴을 이르는 말.=고생 끝에 낙이 온다

苦	盡	甘	來
쓸 고	다할 진	달 감	올 래
↓	↓	↓	↓
괴로움이	지나가면	즐거움이	온다.

인생은
고진감래!
조금만 더…….

감탄고토

달면 삼키고 쓰면 뱉는다는 뜻으로, 옳고 그름에 관계없이 자기 비위에 맞으면 좋아하고 그렇지 않으면 싫어함을 이르는 말.

甘	呑	苦	吐
달 감	삼킬 탄	쓸 고	토할 토
↓	↓	↓	↓
자신에게 이득이 되면 얻으려 하고		자신에게 손해가 되면 버리려 한다.	

내 동생 말이야. 내가 용돈을 줄 때는 말을 잘 듣더니 용돈이 다 떨어지니까 말을 안 들어.

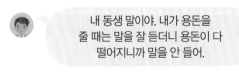

감탄고토가 따로 없구나.

정답 고진감래

1 음식의 맛에 대한 설명과 관련 있는 낱말을 보기 에서 골라 쓰시오.

> 보기
>
> 매콤짭짤하다　　　알싸하다　　　시금털털하다　　　짭조름하다

(1) 중국집에서 양장피를 먹었어. 겨자 소스를 많이 넣었는지 코끝이 찡하고 혀끝이 얼얼하면서 눈물이 찔끔 나왔어.　　（　　　　　　　）

(2) 저녁 반찬으로 쇠고기 장조림이 식탁에 올라왔어. 갓 지은 쌀밥 위에 장조림을 얹어 먹으니 밥도둑이 따로 없더라.　　（　　　　　　　）

2 빈칸에 들어갈 낱말로 알맞은 것은 무엇입니까? …………………………………（　　　　）

> 우리는 밥을 먹은 뒤에 후식으로 □□□□한 케이크와 푸딩을 먹었어요.

① 알싸　　　② 씁쓰름　　　③ 시금털털　　　④ 매콤짭짤　　　⑤ 달착지근

3 다음은 어떤 낱말의 뜻입니까? …………………………………………………（　　　　）

> 맛이나 냄새 따위가 조금 시면서도 떫다.

① 씁쓰름하다　　　　　② 짭조름하다　　　　　③ 시금털털하다
④ 달착지근하다　　　　⑤ 매콤짭짤하다

4 빈칸에 들어갈 알맞은 낱말을 이으시오.

(1) 된장찌개 국물을 한술 떠먹었는데, 입안에 □□□□ 이 진하게 느껴지면서 입맛이 확 살아나네요.　·

　　　　　　　　　　　　　　　　　　　　　　　· ① 감칠맛

(2) 저는 진하고 강한 양념 맛이 느껴지는 음식보다는 가볍고 산뜻하게 □□□□이 나는 음식이 더 좋아요.　·

　　　　　　　　　　　　　　　　　　　　　　　· ② 얕은맛

5 밑줄 그은 내용과 관련 있는 속담은 무엇입니까? ·· (   )

> 옛날 중국 위나라에는 세상에서 보기 힘든 추남으로 알려진 애태타라는 사람이 있었다. 그의 등은 심하게 굽었고, 그 위에는 커다란 등짐 같은 혹이 불룩 튀어나와 있었다. 얼굴은 누구나 한번 쳐다보기만 하면 깜짝 놀랄 정도로 추하게 생겼다. 하지만 그는 자기의 의견을 내세우기보다는 상대의 말을 귀 기울여 들으며 비위를 맞춰 주고 사람들과 화합하려 애쓰는 사람이었다. 그래서 일단 그를 만나 잠시 얘기라도 나누게 되면 사람들은 모두 그를 좋아하게 되었다. 청년들은 그 사람 곁을 떠나고 싶어 하지 않았고, 여인들은 그 사람의 짝이 되고 싶어 부모를 조를 지경이었다.
> 노나라 임금 애공은 애태타의 소문을 듣고 궁금해져서 그를 불러들였다. 과연 소문처럼 애태타는 보기 드문 추남이었지만, 오래지 않아 애공은 그에게 호의를 갖게 되었고 곧 그를 진심으로 신뢰하게 되었다. 애공은 애태타에게 벼슬을 내렸으나 그는 얼마 후에 어디론가 사라져 버렸다. 뭔가 소중한 것을 잃은 듯 마음이 허전해진 애공은 공자를 만났을 때 애태타가 어떤 사람인지를 물었다. 공자는 초나라에 사신으로 갔을 때의 경험담을 들려주는 것으로 애공에게 답을 주었다.
> "제가 우연히 새끼 돼지들이 죽은 어미 돼지의 젖을 빠는 걸 봤습니다. 그런데 조금 있다가 새끼 돼지들이 놀라서 모두 어미를 버리고 달아나더군요. 어미가 자기들을 보지 않고, 어미의 모습도 예전 같지 않아서일 것입니다. 이것으로 보아, 새끼 돼지들이 사랑한 건 어미의 몸이 아니라 그 안에 있는 마음이었음을 알 수 있지요."
> 애태타가 사람들에게 사랑받았던 것은 외모가 아니라 그의 내면에 있었음을 뜻하는 답이었다.

① 가는 날이 장날
② 광대 끈 떨어졌다
③ 뚝배기보다 장맛이 좋다
④ 굼벵이도 구르는 재주가 있다
⑤ 부뚜막의 소금도 집어넣어야 짜다

6 다음 뜻에 해당하는 사자성어를 알맞게 이으시오.

(1) [고생 끝에 즐거움이 옴.] •   • ① [고진감래]

(2) [자기 비위에 맞으면 좋아하고 그렇지 않으면 싫어함.] •   • ② [감탄고토]

7 다음 속담의 뜻으로 알맞은 것은 무엇입니까? ·· (   )

> 부뚜막의 소금도 집어넣어야 짜다

① 살다 보면 어려움이 생긴다.
② 자신이 있어야 할 자리를 알아야 한다.
③ 겉모양은 보잘것없으나 내용은 훌륭하다.
④ 쉬지 않고 꾸준히 노력하면 성공할 수 있다.
⑤ 아무리 좋은 조건을 갖춘 일도 직접 실행해야 의미가 있다.

인구

Q. 그림과 이어지는 해시태그(#)를 보고 알맞은 어휘를 골라 □에 V표 하시오.

① 저출산 □ / 고령화 □ ···

노인분들이 많으시네, 우리나라가 ○○○ 사회라는 게 실감 나는구나.

네, 정말 그렇네요.

#나이_많음 #노인_인구_비율_높음
#늙어가는_사회

② 수도 □ / 수도권 □ ···

대한민국의 □은/는?

지구 생활 적응력 테스트

대한민국 수도는…

물이 잘 나오지?

#중앙_정부가_있는_도시 #대한민국은_서울 #미국은_워싱턴

③ 산업화 □ / 도시화 □ ···

옛날엔 저곳이 다 논밭이었는데, 지금은 도로가 깔리고 온통 건물이 들어섰구나!

와! 건물이 엄청 많네.

농촌이 ○○○가 된 거군요.

#도시가_되어_감 #많은_사람 #높은_건물
#교통이_발달

④ 인구 밀도 □ / 인구 분포 □ ···

거기는 왜 그렇게 ○○ ○○가 높은 거야?

어! 시원하다!

에어컨

다 아시면서

#일정한_지역의_인구수의_비율
#도시는_○○_○○가_높은_곳

정답 ① 고령화 ② 수도 ③ 도시화 ④ 인구 밀도

① 저출산

한 사회에서 일정 기간 동안 아기를 낳는 비율이 낮음. 또는 그런 현상.

예 좀 더 효과적인 저출산 대책이 필요하다.

고령화

한 사회의 전체 인구 중 노인의 인구 비율이 높아지는 것.

예 우리나라는 빠르게 고령화 사회로 가고 있다.

Tip_
65세 이상 인구가 전체 인구의 7%를 넘으면 '고령화 사회', 14%를 넘으면 '고령 사회', 20%를 넘으면 '초고령 사회'.

② 수도

한 나라의 중앙 정부가 있는 도시.

예 우리나라의 수도는 서울이다.

수도권

수도를 중심으로 이루어진 대도시권. 즉 수도와 수도 근처의 지역을 말함.

예 서울, 경기 등 수도권에 인구가 밀집되어 있다.

③ 산업화

산업과 기술이 발달하여 생산이 기계화되고 인구의 도시 집중과 같은 특징을 가진 사회로 됨.

예 우리나라는 1960년대 이후 급속히 산업화 되었다.

도시화

도시의 문화가 전해져서 도시가 아닌 곳이 도시처럼 됨.

예 도시화가 진행되면서 이웃 사이에 정을 나누던 우리 문화도 점차 사라져 가고 있다.

산업화는 인구의 도시 집중 현상을 불러오므로 대체로 도시화도 함께 진행되지.

④ 인구 밀도

일정한 지역의 넓이에 대한 인구수의 비율.

예 수도권은 다른 지역에 비해 인구 밀도가 아주 높다.

인구 분포

인구가 일정한 범위에 나뉘어 흩어져 있는 상태.

예 직업별 인구 분포를 나타낸 지도를 보았다.

인구 밀도가 높음.

인구 밀도가 낮음.

#인구 #속담

Q. 그림과 이어지는 해시태그(#)를 보고 알맞은 속담을 골라 ☐에 V표 하시오.

🐰 모로 가도 서울만 가면 된다 ☐ / 서울 가서 김 서방 찾기 ☐

어디 가니?

어제 산책길에서 만난 강아지 찾으러. 너무 귀여워서 다시 보고 싶어.

어디 사는 줄 알아?

두리번

아니, 몰라. 그냥 무작정 찾아보는 거지.

두리번

♡ ◯ ◁

#주소도_모르고_무턱대고_찾음 #무조건_찾아감 #계획도_정보도_없이_무작정_나섬

모로 가도 서울만 가면 된다

'모로'는 '비껴서, 또는 대각선으로'라는 뜻으로, 수단이나 방법은 어찌 되었든 간에 목적만 이루면 된다는 말.

모로 가도 서울만 가면 된다

방법이 잘못 → 목적만 → 괜찮다.
되었어도   이루면

앗! 기름을 먼저 넣었어야 했는데……. 하긴 뭐 어때? 모로 가도 서울만 가면 되잖아.

서울 가서 김 서방 찾기

주소도 이름도 모르고 무턱대고 막연하게 사람을 찾아가는 경우를 비유적으로 이르는 말.

서울 가서 김 서방 찾기

잘 알지도 못하는 → 사람을 찾는 것처럼
넓은 곳에 가서   무모하게 행동함.

어릴 적 친구를 찾고 싶은데, 어디로 이사했는지 모르겠어. 일단 예전에 살던 집으로 가 볼까?

무턱대고 가면 어떡해? 서울 가서 김 서방 찾기가 따로 없구만.

정답 서울 가서 김 서방 찾기

#인구 #속담 🔍

Q. 그림과 이어지는 해시태그(#)를 보고 알맞은 속담을 골라 ☐에 V표 하시오.

🐰 사람과 산은 멀리서 보는 게 낫다 ☐ / 송곳 세울 틈도 없다 ☐

#장소가_좁을_정도 #빽빽함 #사람이_아주_많음 #들어가기_어려움

4주

사람과 산은 멀리서 보는 게 낫다

사람을 가까이 사귀면 멀리서 볼 때 안 보이던 결점이 다 드러나 실망하게 됨을 비유적으로 이르는 말.

사람과 산은 멀리서 보는 게 낫다

| 사람의 단점은 | 적당한 거리가 있어야 | 보이지 않는다. |

깔끔한 이미지의 연예인이 예능 프로그램에 나온 걸 보니 실제 사는 집은 꽤 지저분하더라고.

사람과 산은 멀리서 보는 게 낫지. 가까이 들여다보면 실망하는 경우가 많아.

송곳 세울 틈도 없다

송곳 끝도 세울 수 없을 만큼 빽빽하다는 뜻으로, 발 들여놓을 데가 없을 정도로 많은 사람들이 꽉 들어찬 경우를 비유적으로 이르는 말.

송곳 세울 틈도 없다

| 아주 작은 것도 | 들어갈 틈이 없을 만큼 | 사람이 많다. |

와! 송곳 세울 틈도 없을 만큼 사람이 많구나.

정답 송곳 세울 틈도 없다

1 다음 그림에 나타난 현상과 관련 있는 낱말은 무엇입니까? ·························· (   )

① 산업화
② 도시화
③ 저출산
④ 정보화
⑤ 수도권

2 ㉠과 ㉡에 들어갈 알맞은 낱말을 쓰시오.

> ㉠ 은/는 한 나라의 중앙 정부가 있는 도시이고, ㉡ 은/는 ㉠ 을/를 중심으로 이루어진 대도시권을 말한다.

(1) ㉠: (   )   (2) ㉡: (   )

3 사회의 모습이 다음과 같은 특징을 갖는 것과 관련 있는 낱말은 무엇입니까? ·········· (   )

> • 산업과 기술이 발달함.   • 생산이 기계화됨.
> • 인구가 도시에 집중하게 됨.   • 교통, 통신이 발달함.

① 세계화   ② 자동화   ③ 전문화   ④ 대중화   ⑤ 산업화

4 다음 뜻에 알맞은 낱말을 잇고, 그 낱말이 빈칸에 들어가기에 알맞은 것을 이으시오.

(1) 일정한 지역의 넓이에 대한 인구수의 비율. · · ① 인구 분포 · · ㉮ 수도권은 [   ]가 아주 높다.

(2) 인구가 일정한 범위에 나뉘어 흩어져 있는 상태. · · ② 인구 밀도 · · ㉯ 연령별 [   ]를 보면 노년층이 많이 늘었다.

◑ 정답과 풀이 15쪽

5 빈칸에 들어갈 속담의 뜻으로 알맞은 것은 무엇입니까? ··· ( )

> 언니: 휴가 때 친구들과 해수욕장에 갔는데, 정말 입추의 여지가 없을 정도로 사람이 많더라.
> 나연: 언니! 지금 여름인데 무슨 입추 타령이야? 입추는 가을 절기가 시작된다는 말이잖아.
> 언니: 저런, 쯧쯧! 모르면 말을 마세요.
> 나연: 내가 뭘 모르는데?
> 언니: 내가 말한 입추는 '입추(立秋)'가 아니라 '입추(立錐)'거든요!
> 나연: 그건 또 뭔데?
> 언니: 자, 이 언니의 설명을 잘 들어 봐. '입추의 여지가 없다'라는 말에서 '입(立)'은 세우다, '추(錐)'는 송곳, '여지(餘地)'는 남은 땅이라는 뜻이야. '입추의 여지가 없다'를 풀이하면 '송곳[錐]을 세울[立] 수 있을 만한 여유 있는 땅[餘地]도 없다.'는 뜻이지. 송곳도 세우지 못할 정도로 좁은 땅인데 뭐가 더 들어갈 수 있겠어? 우리말 속담 중 '송곳 세울 틈도 없다'는 말과 같은 거지. 인파가 많이 몰려 [   ] 경우를 비유적으로 가리키는 말이야.
> 나연: 그렇구나! 그러고 보니 언니 방도 입추의 여지가 없을 정도로 쓰레기가 가득 차 있네! 안 치우면 엄마한테 혼날 텐데. 호호!
> 언니: 뭐라고? 기껏 가르쳐 주었더니 그런 식으로 써먹기야?

① 여기저기서 다툼이 일어나는
② 모두 협력해서 일을 빠르게 해결해 나가는
③ 일의 과정을 제대로 거치지 않고 마음대로 하는
④ 발 들여놓을 데가 없을 정도로 사람들이 꽉 들어찬
⑤ 그럴 형편이 안 되는 사람이 이것저것 따지며 까다롭게 구는

6 다음과 같은 특성을 가진 사람에게 해당하는 속담을 알맞게 이으시오.

(1) 구체적인 계획이나 방법도 없이 막연하게 일을 하려는 사람 ・ ・① 서울 가서 김 서방 찾기

(2) 정당한 방법이 아니더라도 목적만 달성하면 된다고 생각하는 사람 ・ ・② 모로 가도 서울만 가면 된다

7 다음 속담의 뜻으로 빈칸에 들어갈 알맞은 말은 무엇입니까? ·· ( )

> 사람과 산은 멀리서 보는 게 낫다
> → 사람을 가까이 사귀면 멀리서 볼 때 안 보이던 [   ]이 드러나 실망하게 된다.

① 믿음 ② 장점 ③ 결점 ④ 가족 ⑤ 재능

1 서로 관련 있는 낱말끼리 선으로 이으시오.

(1) 희곡 •

(2) 상영 • • ① 연극

(3) 공연 •

(4) 시나리오 • • ② 영화

2 밑줄 그은 말과 바꿔 쓸 수 있는 낱말은 무엇입니까?·····················( )

> 공부, 노래, 운동, 그림 등 모든 면에서
> 재주와 능력이 뛰어난 내 친구 재윤

① 경천동지한 ② 학수고대한

③ 감탄고토한 ④ 고진감래한

⑤ 다재다능한

3 밑줄 그은 낱말이 바르게 쓰인 것은 어느 것입니까?·····················( )

① 연극 상영 보러 갈까?

② 난 칠흑같이 화려한 색이 좋아.

③ 텔레비전에서 드라마 공연을 한대.

④ 어슴푸레하게 새벽빛이 밝아 옵니다.

⑤ 이번 연극에서 저는 노인 배우를 맡게 되었어요.

4 다음 ㉠과 ㉡이 반대말끼리 짝 지어지지 <u>않은</u> 것은 어느 것입니까?·····················( )

	㉠	㉡
①	정오	자정
②	일출	일몰
③	희극	비극
④	백주	야밤
⑤	분해	분리

5 다음과 같은 상황에 쓸 만한 속담을 알맞게 선으로 이으시오.

(1) 매일 지각하던 친구가 제일 먼저 등교하면? •

• ① 광대 끈 떨어지다

(2) 믿고 의지하던 유일한 친구가 전학을 가면? •

• ② 해가 서쪽에서 뜨다

(3) 모양은 별로인 떡이 무척 맛있으면? •

• ③ 뚝배기보다 장맛이 좋다

6 다음 ㉠~㉣은 무엇에 해당하는지 선으로 이으시오.

> ㉠설탕을 ㉡물에 넣고 ㉢녹이면 ㉣설탕물이 됩니다.

(1) ㉠ •   • ① 용해

(2) ㉡ •   • ② 용매

(3) ㉢ •   • ③ 용질

(4) ㉣ •   • ④ 용액

7 속담의 뜻을 참고하여 빈칸에 공통으로 들어갈 낱말을 알맞게 쓰시오.

(1)
> • (   )과 기름: 서로 어울리지 못하여 겉도는 사이.
> • 소금 먹은 놈이 (   )켠다: 무슨 일이든 거기에는 반드시 그렇게 된 까닭이 있음.

(   )

(2)
> • (   )도 곰팡 난다: 무슨 일이든 절대 탈이 생기지 않는다고 장담하기 어렵다.
> • 부뚜막의 (   )도 집어넣어야 짜다: 아무리 쉬운 일도 직접 실행해야 의미가 있다.

(   )

8 다음 음식의 맛을 알맞게 표현한 것을 보기 에서 골라 기호를 쓰시오

보기
> ㉠ 알싸하다   ㉡ 짭조름하다
> ㉢ 씁쓰름하다   ㉣ 달착지근하다

(1)

▲ 고추냉이

(2)

▲ 씀바귀

(   )   (   )

9 빈칸에 들어갈 알맞은 말에 ◯표 하시오.

> 우리나라에서 (   )가 가장 높은 곳은 서울을 비롯한 수도권입니다.

(1) 인구 분포 (   )
(2) 인구 밀도 (   )

10 다음과 관련 있는 속담은 무엇입니까? (   )

> • 발 들여놓을 데가 없을 만큼 사람들이 많은 상황에 쓰임.
> • 비슷한 뜻을 가진 말로 '입추의 여지가 없다'가 있음.

① 가는 날이 장날
② 찬밥 더운밥 가리다
③ 송곳 세울 틈도 없다
④ 서울 가서 김 서방 찾기
⑤ 모로 가도 서울만 가면 된다

어휘 플러스

시치미를 떼다

고려 시대에는 사람마다 매를 길들여 꿩을 사냥하는 것이 유행이었어.

휘이~ 저 꿩을 잡아 와!

특히 잘 훈련된 매는 사냥을 잘했기 때문에 무척 귀한 재산으로 여겼지.

다 잡은 꿩을 낚아채 가다니!

오늘도 꿩을 다섯 마리나 잡았어! 하하하!

사람들은 매 도난을 방지하기 위해 꽁지에 자신의 이름을 쓴 이름표를 붙여 놓았어.

아까 내 꿩을 낚아채 간 놈이군.

그 이름표가 바로 시치미야.

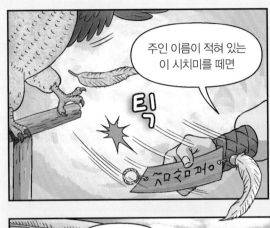

주인 이름이 적혀 있는 이 시치미를 떼면

틱

이제 넌 완전히 내 것이지!

여보시오!

뉘신지?

여기 이 매가 당신 것이오?

매를 훔쳐 시치미를 떼고 나서, 그 매가 자신의 것이라고 우기는 일이 자주 벌어졌어.

다, 당연하지! 내가 뭐 당신 매를 훔치기라도 했단 말이오?

주인님! 이놈이 뗀 시치미가 여기 있습니다.

이때부터 '시치미 떼다'는 자신이 저지른 일을 하지 않았다고 하거나 모른 척하는 것을 뜻하게 되었대.

이 도둑놈! 어디서 자기 것이라고 시미치를 떼!

어이구! 시치미를 어떻게 찾았지? 아익! 사람 살려!

제가 안 깼다니까요?

이렇게 증거가 있는데 시치미를 떼?

논리 탄탄

1 낱말에 대한 설명이 바르게 적힌 카드의 번호를 빙고 판에서 모두 찾아 ◯표 하고, 완성된 빙고는 몇 줄 인지 쓰세요.

1 공연을 목적으로 하는 연극의 대본은 '시나리오'이다.

2 재주와 능력이 여러 가지로 많음을 가리키는 말은 '감탄고토'이다.

3 '일출'과 '일몰'은 뜻이 서로 반대되는 낱말이다.

4 빛이 환하게 비치는 모양을 가리키는 말은 '어슴푸레'이다.

5 서로 어울리지 못하여 겉도는 사이를 '물과 기름' 같다고 한다.

6 어떤 물질을 녹이는 데 쓰이는 액체를 '용매'라고 한다.

7 음식물이 입에 당기는 맛깔스러운 맛을 '감칠맛'이라고 한다.

8 아주 어둡고 깊은 밤을 '백주'라고 한다.

9 고생 끝에 즐거움이 온다는 뜻을 가진 말은 '고진감래'이다.

( )줄

2 친구들이 암호로 낱말 퀴즈를 냈습니다. 오른쪽의 암호 해독표를 보고 낱말 퀴즈의 답을 쓰세요.

(1)

해독한 암호

(2)

해독한 암호

(3)

해독한 암호

암호 해독표	
☆	ㄱ
◆	ㄴ
★	ㄷ
◇	ㄹ
□	ㅁ
♥	ㅂ
♫	ㅅ
■	ㅇ
♡	ㅈ
♧	ㅊ
♠	ㅋ
♣	ㅌ
♤	ㅍ
▣	ㅎ

①	ㅏ
②	ㅑ
③	ㅓ
④	ㅕ
⑤	ㅗ
⑥	ㅛ
⑦	ㅜ
⑧	ㅠ
⑨	ㅡ
⑩	ㅣ
⑪	ㅐ
⑫	ㅒ
⑬	ㅔ
⑭	ㅖ

ㄱ					
가열	어떤 물질에 열을 가함. 예 냄비의 물을 가열해 보자.	발열	열이 남. 또는 열을 냄. 체온이 높아지거나 그런 증상.	67쪽
가정	사실인지 아닌지 분명하지 않은 것을 임시로 인정하는 것.	가설	어떤 사실을 설명하기 위한 가정이나 이론.	25쪽
감염	미생물이 몸 안에 들어가 병을 일으킴.	전염	병이 남에게 옮음.	73쪽
감칠맛	음식물이 입에 당기는 맛깔스러운 맛.	얕은맛	진하지 않으며 산뜻하고 부드러운 맛.	155쪽
강요	억지로, 또는 강제로 요구하는 것.	강조	어떤 부분을 특별히 강하게 주장함.	13쪽
거만	잘난 체하며 남을 업신여기는 데가 있음.	자만	자신과 관련된 것을 자랑하며 뽐냄.	31쪽
건국	나라가 세워짐. 또는 나라를 세움.	건설	건물이나 시설을 새로 짓는 것.	121쪽
경솔하다	말이나 행동이 조심성 없이 가볍다.	신중하다	말이나 태도가 가볍지 않고 조심스럽다.	97쪽
고뿔	'감기'를 일상적으로 이르는 말.	오한	몸이 오슬오슬 춥고 떨리는 증상	73쪽
공연	음악, 무용, 연극 등을 많은 사람들 앞에서 보이는 일.	상영	영화를 극장 등에서 화면으로 관객에게 보이는 일.	137쪽
금일	지금 지나가고 있는 이날. 오늘.	명일	오늘의 바로 다음 날. 내일.	55쪽
긍정	그러하다고 생각하여 옳다고 인정함.	부정	그렇지 않다고 생각하여 반대함.	13쪽
껍질	물체의 겉을 싸고 있는 단단하지 않은 물질. 예 사과 껍질, 귤껍질	껍데기	달걀이나 조개 따위의 겉을 싸고 있는 단단한 물질. 예 굴껍데기	103쪽

ㄴ					
나물	사람이 먹을 수 있는 풀이나 나뭇잎 따위를 통틀어 이르는 말.	채소	밭에서 기르는 농작물. 주로 그 잎이나 줄기, 열매 따위를 먹음.	19쪽

ㄷ					
단열	열이 서로 통하지 않도록 막음.	단열재	단열에 쓰이는 재료.	67쪽
달착지근하다	약간 달콤한 맛이 있다.	짭조름하다	조금 짠맛이 있다.	155쪽
대범하다	사소한 것에 얽매이지 않고 너그럽다.	소심하다	대담하지 못하고 조심성이 너무 많다.	31쪽

ㅁ					
마중	오는 사람을 나가서 맞이함.	배웅	작별 인사를 하여 보냄. 반의어 마중	115쪽
맏이	여러 형제자매 가운데 가장 처음에 난 사람. 반의어 막내	막내	여러 형제자매 가운데 가장 나중에 난 사람. 반의어 맏이	37쪽

ㅂ					
반듯하다	생각이나 행동이 굽지 않고 바르다.	번듯하다	생김새가 훤하고 멀끔하다(깨끗하다).	31쪽
발병	병이 남.	투병	병을 고치려고 병과 싸움.	73쪽
밭치다	체 같은 데에 부어서 물기를 빼다.	빻다	내리쳐서 부수거나 가루로 만들다.	103쪽
배우	영화나 연극, 드라마 등에 나오는 인물의 역할을 맡아서 연기하는 사람.	배역	영화나 연극 등에서, 역할을 나누어 배우에게 맡기는 일. 또는 그 역할.	137쪽
배짱	조금도 굽히지 아니하고 버티어 나가는 성품이나 태도.	숫기	활발하여 부끄러워하지 않는 기운.	61쪽
백주	환하게 밝은 낮.	야밤	깊은 밤.	143쪽
분리	서로 나뉘어 떨어짐. 그렇게 되게 함.	분해	화합물을 두 가지 이상의 물질로 나눔.	149쪽
분쟁	갈라져 다툼. / 말썽을 일으켜 시끄럽고 복잡하게 다툼.	논쟁	각각 자기의 주장을 말이나 글로 논하여 다툼.	79쪽
비난	남의 잘못이나 결점을 책잡아서 나쁘게 말함.	비판	현상이나 사물의 옳고 그름을 판단하여 밝히거나 잘못된 점을 지적함.	13쪽

빠릿빠릿하다	똑똑하고 행동이 날래다.	어리숙하다	순진하고 어리석은 데가 있다.	**97쪽**
사육	어린 가축이나 짐승을 먹이고 기름.	양육	아이를 보살펴서 자라게 함.	**37쪽**
산업화	산업과 기술이 발달하여 인구의 도시 집중 같은 특징을 가진 사회로 됨.	도시화	도시의 문화가 전해져서 도시가 아닌 곳이 도시처럼 됨.	**161쪽**
색상	색 자체가 갖는 고유의 특성. 색깔.	색소	물체의 색깔이 나타나도록 해 주는 성분.	**25쪽**
섭씨	얼음의 녹는점을 0도, 물의 끓는점을 100도로 한 온도 단위.	화씨	얼음의 녹는점을 32도, 물의 끓는점을 212도로 한 온도 단위.	**67쪽**
성마르다	참을성이 없고 성질이 급하다.	느긋하다	서두르지 않고 마음의 여유가 있다.	**97쪽**
세월	흘러가는 시간. '시간'으로 바꾸어 쓸 수 있음. 예 세월이 흐르다.	시절	일정한 시기나 때. '때'로 바꾸어 쓸 수 있음. 예 학창 시절, 청년 시절	**55쪽**
수도	한 나라의 중앙 정부가 있는 도시.	수도권	수도를 중심으로 이루어진 대도시권. 즉 수도와 수도 근처의 지역.	**161쪽**
숟가락	밥이나 국물 따위를 떠먹는 데 쓰는 기구.	수저	숟가락과 젓가락을 아울러 이르는 말.	**103쪽**
시간	어떤 시각에서 어떤 시각까지의 사이.	시차	어떤 일을 하는 시간이나 시각에 차이를 두게 하는 일.	**55쪽**
시금털털하다	맛이나 냄새 따위가 조금 시면서도 떫다.	매콤짭짤하다	좀 매우면서 짠맛이 있다.	**155쪽**
시샘	자기보다 나은 사람을 괜히 싫어함.	심통	마땅치 않게 여기는 나쁜 마음.	**61쪽**
실험	실제로 해 봄. 과학에서 이론이나 현상을 관찰하고 측정하는 일.	관찰	사물이나 현상을 주의하여 자세히 살펴봄.	**25쪽**
알맹이	껍데기나 껍질을 벗기고 남은 속 부분.	알갱이	열매나 곡식 따위의 낱알.	**103쪽**
알싸하다	매운맛이나 독한 냄새 따위로 코 속이나 혀끝이 알알하다.	쌉쓰름하다	조금 쓴맛이 나는 듯하다. 유의어 쌉쓰레하다	**155쪽**
양심	옳고 그름, 선과 악을 가리고 그것을 지키고자 하는 마음.	본심	본디부터 변함없이 그대로 갖고 있는 마음. 꾸미거나 거짓으로 숨기지 않은 마음.	**61쪽**
영토	한 나라의 통치권이 미치는 지역.	영해	한 나라의 주권이 미치는 바다의 영역.	**121쪽**
용매	어떤 물질을 녹이는 데 쓰는 액체.	용질	용액에 녹아 있는 물질.	**149쪽**
용해	녹거나 녹이는 일.	용액	두 가지 이상의 물질이 고르게 섞인 액체.	**149쪽**
우연	마땅한 이유 없이 어쩌다가 일어난 일.	필연	어떤 일의 결과나 사물의 관계가 반드시 그렇게 될 수밖에 없음.	**115쪽**
우주	태양, 지구, 달 등 천체를 포함하는 공간.	천체	우주에 있는 모든 물체.	**109쪽**
의지	어떠한 일을 이루고자 하는 마음.	고집	자기의 의견을 굳게 버티는 성미.	**31쪽**
이기적	자기 자신의 이익만을 꾀하는 것.	이타적	다른 이의 이익을 더 꾀하는 것.	**61쪽**
인구 밀도	일정한 지역의 넓이에 대한 인구수의 비율.	인구 분포	인구가 일정한 범위에 나뉘어 흩어져 있는 상태.	**161쪽**
일출	해가 떠오름. 반의어 일몰	일몰	해가 짐. 유의어 해넘이	**143쪽**
작별	서로 인사를 나누고 헤어짐.	기별	다른 곳에 있는 사람에게 소식을 전함.	**115쪽**
장아찌	재료를 간장에 담가 오래 두고 먹는 음식.	장조림	간장에다 쇠고기를 넣고 조린 반찬.	**19쪽**
저출산	한 사회에서 일정 기간 동안 아기를 낳는 비율이 낮음.	고령화	한 사회의 전체 인구 중 노인의 인구 비율이 높아지는 것.	**161쪽**
적외선	눈에 보이지 않으며 열 작용이 강하고 투과력도 강한 전자기파.	자외선	태양에서 나오는, 눈에 보이지 않으며 파장이 짧은 빛.	**109쪽**

전도	열 또는 전기가 물체 속을 이동하는 일. 또는 그런 현상.	대류	기체나 액체에서 물질이 이동하면서 열이 전달되는 현상.	67쪽
전투	두 편의 군대가 무장하여 씨움.	전략	전쟁을 이끌어 가는 방법이나 책략.	79쪽
정오	낮 열두 시.	자정	밤 열두 시.	143쪽
조국	조상 때부터 대대로 살던 나라.	모국	자기가 태어난 나라.	121쪽
조바심	조마조마하여 마음을 졸임.	평상심	특별한 일이 없는 보통 때의 마음.	97쪽
주권	국가의 의사나 정책을 최종적으로 결정하는 권력.	인권	인간으로서 당연히 가지는 기본적인 권리.	121쪽
주식	밥이나 빵과 같이 끼니에 주로 먹는 음식.	별식	늘 먹는 음식과 다르게 만든 색다른 음식.	19쪽
줄곧	끊임없이 잇따라.	간혹	어쩌다가 한 번씩.	55쪽
지동설	지구가 태양의 주위를 돈다는 설.	천동설	태양과 별이 지구의 둘레를 돈다는 설.	27쪽
진단	의사가 환자의 병 상태를 판단하는 일.	처방	증상에 따라 약을 짓는 방법.	73쪽
차이	서로 같지 않고 다름. 또는 그런 정도나 상태.	차별	둘 이상의 대상을 각각 등급이나 수준 따위의 차이를 두어서 구별함.	13쪽
참석	회의나 모임 등의 자리에 가서 함께함.	참여	여러 사람이 하는 일에 끼어 함께 일함.	115쪽
채식	고기류를 피하고 식물성 음식만 먹음.	소식	음식을 적게 먹음. 반의어 대식	19쪽
측정	무게, 깊이, 길이와 같은 것의 크기를 잼.	예측	미리 헤아려 짐작함.	25쪽
친척	아버지 쪽 집안사람과 어머니 쪽 집안사람을 아울러 뜻하는 말.	일가	성과 본(조상의 고향)이 같은 친척. 아버지 쪽 집안사람.	37쪽
칠흑	옻칠을 한 것처럼 검고 광택이 있음. 또는 그런 빛깔.	어슴푸레	분명하게 잘 보이거나 들리지 않고 희미하고 흐린 모양.	143쪽
침입	침범하여 들어가거나 들어옴. 예 적이 침입하다.	침탈	침범하여 무언가를 빼앗음. 예 일제의 조선 침탈	79쪽
행성	타원형의 궤도를 그리며 중심 별의 주위를 도는 천체.	항성	보이는 위치를 바꾸지 아니하고 별자리를 구성하며, 스스로 빛을 내는 별.	109쪽
혈연	같은 핏줄에 의하여 연결된 인연. 부모와 자식, 형제간 등을 말함.	지연	출신 지역에 따라 연결된 인연. 고향이 같은 관계 등을 말함.	37쪽
혜성	태양을 중심으로 타원이나 포물선을 그리며 도는, 꼬리가 달린 천체.	운석	우주에서 지구의 대기권 안으로 들어와 다 타지 않고 땅에 떨어진 물질.	109쪽
혼합물	여러 가지가 뒤섞여 한데 합해진 물질. 예 쌀과 콩의 혼합물	화합물	두 개 이상의 원소가 만나 화학 작용을 통해 새롭게 만들어진 물질.	149쪽
휴전	전쟁을 얼마 동안 멈추는 일.	종전	전쟁이 끝남. 또는 전쟁을 끝냄.	79쪽
희곡	공연을 목적으로 하는 연극의 대본.	시나리오	영화를 만들기 위하여 쓴 각본.	137쪽
희극	웃음을 중심으로 하여 인간과 사회의 문제점을 재미있게 다룬 연극.	비극	슬프거나 비참한 결말로 끝나는 극.	137쪽

ㅊ

ㅎ

감탄고토	옳고 그름에 관계없이 자기 비위에 맞으면 좋아하고 그렇지 않으면 싫어함을 이르는 말.	157쪽
개국 공신	나라를 새로 세울 때에 큰 공을 세운 사람. ⓔ 정도전은 조선의 일등 개국 공신이다.	123쪽
견물생심	어떠한 실물을 보게 되면 그것을 가지고 싶은 욕심이 생김.	63쪽
경천동지	하늘을 놀라게 하고 땅을 뒤흔든다는 뜻으로, 세상 사람들이 모두 놀랐음을 이르는 말.	111쪽
고진감래	쓴 것이 다하면 단 것이 온다는 뜻으로, 고생 끝에 즐거움이 옴을 이르는 말.	157쪽
난형난제	누구를 형이라 하고 누구를 아우라 하기 어렵다는 뜻으로 낫고 못함을 정하기 어려움.	39쪽
동병상련	같은 병을 앓는 사람끼리 서로 가엽게 여긴다는 뜻으로, 어려운 처지에 있는 사람끼리 서로 가엾게 여김을 이르는 말.	75쪽
물과 기름	물과 기름이 서로 섞이지 않는 것처럼 서로 어울리지 못하여 겉도는 사이를 말함.	151쪽
물에 물 탄 것 같다	아무 맛이 없는 물처럼 싱겁다.	151쪽
뱃속이 검다	마음속에 음흉하고 나쁜 생각을 가지다. *'뱃속'은 마음을 속되게 이르는 말.	99쪽
뱃심이 좋다	부끄러움이나 두려움 없이 자기 생각을 굳게 지키면서 잘 버티다.	99쪽
부전자전	아들의 성격이나 생활 습관 따위가 아버지로부터 대물림된 것처럼 같거나 비슷함.	39쪽
산해진미	산과 바다에서 나는 온갖 진귀한 물건으로 차린, 맛이 좋은 음식. 그만큼 귀하고 먹음직스러운 밥상을 이르는 말.	20쪽
순망치한	입술이 없으면 이가 시리다는 뜻으로, 가까운 어느 한쪽이 망하면 다른 한쪽도 그 영향을 받아 온전하기 어려움을 이르는 말.	69쪽
시기상조	어떤 일을 하기엔 아직 때가 이름. ⓔ 그 일을 하기엔 시기상조인 것 같다.	57쪽
식자우환	학식이 있는 것이 오히려 근심을 사게 함. 속담 '아는 것이 병'과 비슷한 뜻.	75쪽
십시일반	밥 열 술(숟가락)이 한 그릇이 된다는 뜻으로, 여러 사람이 조금씩 힘을 합하면 한 사람을 돕기 쉬움을 이르는 말.	20쪽
어부지리	두 사람이 서로 싸우는 사이에 엉뚱한 사람이 애쓰지 않고 가로챈 이익을 이르는 말.	81쪽
언중유골	말 속에 뼈가 있다는 뜻으로, 예사로운 말 속에 단단한 속뜻이 있음을 이르는 말.	15쪽
언행일치	말과 행동이 하나로 일치함. 또는 말한 대로 행동함.	15쪽
이열치열	열은 열로써 다스림. 열이 날 때 땀을 낸다든지, 힘은 힘으로 물리친다든지 하는 것을 이를 때에 쓰는 말.	69쪽
일출삼간	해가 장대 세 개의 높이로 올랐다는 뜻으로 해가 높이 솟아 날이 환하게 밝았음을 이르는 말.	111쪽
일편단심	한 조각의 붉은 마음이라는 뜻으로, 진심에서 우러나오는 변치 않는 마음.	63쪽
임전무퇴	전쟁에 나아가서 물러서지 않음. 신라 화랑도의 다섯 가지 계율인 세속 오계 중 하나.	81쪽
입이 궁금하다	배가 출출하고 고픈 듯한 느낌이 있어서 무언가 먹고 싶다. =입이 심심하다	105쪽
입이 짧다	음식을 심하게 가려서 못 먹거나 싫어하는 음식이 많고 음식을 적게 먹는다.	105쪽
자만자족	스스로 만족스럽고 자랑스럽게 여겨 뽐내고 흡족해함.	33쪽
작심삼일	단단히 먹은 마음이 사흘을 가지 못한다는 뜻으로 결심이 굳지 못함을 이르는 말.	33쪽
재색 겸비	어떤 여자가 재주와 아름다운 용모를 두루 갖춤.	139쪽
천부 인권	하늘이 부여한 인간의 권리라는 뜻으로, 인간이 태어나면서 가지고 있는 기본적인 권리.	123쪽
하늘을 지붕 삼다	일정하게 머무는 곳이 없이 바깥에서 아무 데서나 잠을 자며 떠돌아다니다.	110쪽
하늘이 노래지다	갑자기 기력이 다하거나 큰 충격을 받아 정신이 아찔하게 되는 상태를 뜻하는 말.	110쪽
학수고대	학이 기다란 목을 빼고 있는 것처럼 목을 길게 빼고 무언가를 몹시 기다릴 때 쓰는 말.	117쪽
허송세월	하는 일 없이 세월만 헛되이 보냄. ⓔ 방학이 벌써 끝나다니, 허송세월만 했구나.	57쪽
황혼이 깃들다	사람의 생애나 나라의 운명 따위가 점점 약해져 마지막에 다다름을 비유적으로 이르는 말.	145쪽

매일매일 쌓이는 국어 기초력

똑똑한 하루

독해&어휘&글쓰기

공부 습관 형성

10분이면 하루치 공부를 마칠 수
있어서 아이들 스스로 쉽게
학습할 수 있도록 구성

국어 기초력 향상

어휘는 물론 독해에서 글쓰기까지
초등 국어 전 영역을 책임지는
완벽한 커리큘럼으로 국어 기초력 향상

재미있는 놀이 학습

꼭 필요한 상식과 함께
창의적 사고력 확장을 돕는
게임 형식의 구성으로 즐겁게 학습

쉽다! 재미있다! 똑똑하다! 똑똑한 하루 시리즈
예비초~6학년 각 A·B (14권)

기초
학습능력 강화
프로그램

천재교육

똑 똑 한
하루
어휘

5~6학년

정답과 풀이

5 단계
A
5~6학년

천재교육

정답과 해설
포인트 3가지

▶ 혼자서도 이해할 수 있는 친절한 어휘 풀이

▶ 배운 어휘는 물론 참고 어휘, 보충 어휘까지 자세한 해설

▶ 비슷한말, 반대말, 포함 어휘까지 관계 어휘를 풍부하게 제시

1주에는 무엇을 공부할까?

10~11쪽

1 수영
2 (1) 토마토, 감자 (2) 삼겹살, 참치

3 ②
4 ③

1일 교과 어휘 > 국어

16~17쪽

1 (1) 비난 (2) 부정 (3) 차별 (4) 강요
2 강조   3 ❶ 판단 ❷ 지적
4 ⑤   5 (1) ㉃ (2) ㉠
6 (1) ○

1 (1) 비난: 남의 잘못이나 결점을 책잡아 나쁘게 말
   하는 것.
  (3) 차별: 둘 이상의 대상을 등급이나 수준 따위에
   차이를 두어서 구별하는 것.
  (4) 강요: 억지로 또는 강제로 요구함.
2 어떤 부분을 특별히 강하게 주장하거나 두드러지
  게 하는 것은 '강조'입니다.

3 '비판'은 현상이나 사물의 옳고 그름을 판단하여
  밝히거나 잘못된 점을 지적한다는 뜻입니다.
4 돌쇠에게 함부로 말한 김 부자와 정중하게 말한
  최 부자의 고기가 달랐으므로 이와 관련하여 말
  을 곱게 하여야 한다는 뜻을 가진 속담을 떠올릴
  수 있습니다.
5 언중유골은 말 속에 단단한 속뜻이 들어 있음을
  이르는 말이고, 언행일치는 말과 행동이 하나를
  이룬다는 뜻입니다.
6 '가마가 솥더러 검정아 한다'는 속담은 제 흉은 모
  르고 남의 잘못이나 결함만을 흉봄을 비유적으로
  이르는 말입니다.

2일 생활 어휘 > 음식

22~23쪽

1 (1) 나물 (2) 채소 (3) 주식, 주식 (4) 별식
2 ❶ 육식 ❷ 채식 ❸ 소식
3 ③   4 (1) 장아찌 (2) 장조림
5 ④   6 (1) ② (2) ①
7 (3) ○

1 (1) 두릅이나 냉이는 '나물'입니다.
  (2) 밭에서 기르는 농작물은 '채소'입니다.
  (3) 끼니에 주로 먹는 음식은 '주식'입니다.
  (4) 늘 먹는 음식과 다르게 만든 색다른 음식은
   '별식'입니다.
2 고기를 주로 먹는 것은 '육식', 채소를 주로 먹는
  것은 '채식', 적게 먹는 것은 '소식'으로 바꾸어 쓸
  수 있습니다.

3 간식은 끼니와 끼니 사이에 먹는 음식을 뜻합니다.
4 장아찌는 재료를 익히지 않고 간장에 담가 먹는
  반찬이고, 장조림은 간장에 쇠고기나 달걀과 같
  은 재료를 조려서 만든 음식입니다.
5 조금씩 모아 이반의 대회 참가비를 마련했으므로
  십시일반(여러 사람이 조금씩 힘을 합하면 한 사
  람을 돕기 쉬움)을 떠올릴 수 있습니다.
6 (1)은 무엇이든 바로 알려면 실제로 겪어 보아야
  한다는 뜻이고, (2)는 무슨 일이든 늘 하던 사람이
  더 잘한다는 뜻입니다.
7 산해진미란 온갖 진귀한 물건으로 차린 맛이 좋
  은 음식이므로 여러 가지 음식이 차려 있는 밥상
  이 어울립니다.

3일 교과 어휘 > 과학

28~29쪽

1 (1) 실험 (2) 관찰 (3) 측정 (4) 예측
2 색소, 색상   3 ❶ 임시 ❷ 인정
4 천동설   5 ①
6 (1) ① (2) ②

1 (1)의 경우, '실험' 대신 '관찰'이 쓰여도 문장이 되지만 내용상 '관찰'은 (2)의 문장에 들어가는 것이 더 자연스러우므로 '실험'을 정답으로 합니다.

2 '쪽'은 '쪽물'을 만드는 식물입니다. 따라서 쪽은 물체의 색깔이 나타나도록 해 주는 성분이므로 '색소'가 되고, 그 색소로 인해 나타나는 짙푸른 색깔은 '색상'이 됩니다.

3 '가정'은 사실이 아니거나 또는 사실인지 아닌지 분명하지 않은 것을 임시로 인정한다는 뜻입니다.

4 지구가 고정되어 있고 태양이나 수성, 금성과 같은 천체가 지구 주위를 돈다는 학설은 '천동설'입니다.

> • 천동설: 지구가 우주의 중심이고 천체가 지구 주위를 돈다는 학설.
> • 지동설: 태양이 우주의 중심이고, 지구를 비롯한 천체가 태양 주위를 돈다는 학설.

5 지동설과 천동설이 대립하던 시절 갈릴레이가 주장한 '이론'이므로 글의 내용상 '가설'이 알맞습니다. '가설'은 가정을 바탕으로 한 이론이라는 뜻입니다.

6 (1)은 같은 조건이면 조금이라도 더 나은 것을 선택한다는 뜻의 속담이고, (2)는 비슷해 보이는 것도 따져 보면 꼭 같은 것이 없다는 뜻의 속담입니다.

4일 생활 어휘 > 자세

34~35쪽

1 (1) 거만하다 (2) 대범하다 (3) 소심하다
2 ⑤
3 (1) ㉢ (2) ㉢ (3) ㉠ (4) ㉠
4 ④
5 ②
6 ⑤

1 (1) 자신이 빠르다고 자랑하고 거북을 무시하는 토끼는 '거만한' 성격입니다.
(2) 직원의 실수를 너그럽게 용서하는 선생님은 대범한 성격입니다.
(3) 마음이 약해 선뜻 친구들에게 말을 걸지 못하는 얼룩 강아지는 '소심한' 성격입니다.

2 '반듯하다'는 생각이나 행동 따위가 비뚤어지거나 기울거나 굽지 아니하고 바르다는 뜻입니다. '번듯하다'에는 행동이 바르다의 뜻이 없습니다.

4 상관의 말이라도 옳지 않은 일이면 단호하게 거부하는 이순신의 성격을 잘 드러내는 속담으로는 '꼿꼿하기는 개구리 삼킨 뱀'이 알맞습니다.

> ① 남의 덕으로 당치 않은 행세를 하고 우쭐대는 모양.
> ② 누구나 피곤할 때는 쉬어야 한다는 말.
> ③ 원인이 없으면 결과가 있을 수 없다.
> ⑤ 무엇이든 힘을 들여 사용하지 않으면 아무 소용이 없다.

5 결심이 굳지 못함을 이르는 말로 '작심삼일'이 있습니다.

6 개구리 올챙이 적 생각 못 한다는 속담은 지난날 부족하던 때의 자신을 생각 못하고 처음부터 잘난 듯이 뽐낸다는 뜻입니다. 즉 '올챙이 적'이란 부족하고 어렵던 지난날을 뜻합니다.

1 (1) 닭, 토끼, 돼지, 코끼리 (2) 딸, 아들
2 ④　　　　　　　　**3** 부전자전
4 정화　　　　　　　**5** ④
6 ④　　　　　　　　**7** ⑤

1 동물을 기르는 것은 '사육', 자녀를 기르는 것은 '양육'입니다. 반려동물의 경우, 자녀처럼 대하여 '양육'이 쓰이기도 하지만 일반적인 경우는 아닙니다.

2 '혈연관계'란 부모와 자식처럼 같은 핏줄에 의하여 연결된 인연을 말합니다.

3 아들의 성격이나 생활 습관 따위가 아버지로부터 대물림된 것처럼 같거나 비슷한 것을 '부전자전'이라고 합니다.

4 '맏이'가 아니면서 '장녀'에 해당하려면 위로 오빠가 있고, 여러 딸 중 가장 나이가 많은 사람이어

야 합니다.

> 정희: 모두 동생만 있으므로 '맏이'에 해당하고, 여동생도 있으므로 '장녀'에도 해당합니다.
> 소영: 남자 형제에 혼자만 딸이므로 장녀에 해당하지 않습니다.

5 사촌이나 친척들이 못해 주는 것을 이웃인 '내'가 해 준다는 말이므로 '가까운 남이 먼 일가보다 낫다'는 속담이 어울립니다.

6 '난형난제'는 실력이나 수준이 비슷하여 누가 형이고 누가 아우인지(누가 더 나은지) 가리기 어렵다는 뜻입니다.

7 '사촌이 땅을 사면 배가 아프다'는 남이 잘되는 것을 기뻐해 주지는 않고 오히려 질투하고 시기하는 경우를 이르는 말입니다. 즉 질투심이나 시기심을 꼬집는 속담에 해당합니다.

1 ④　　　　　　**2** (1) 비판 (2) 비난
3 (1) 주식 (2) 별식 (3) 간식
4 ⑤　　　**5** ⑤　　　**6** ④
7 ⑤　　　**8** ③　　　**9** ①
10 ㉡

1 억지로, 또는 강제로 요구하는 것은 '강요'입니다.

2 비난은 잘못이나 결점을 꼬투리 잡아 나쁘게 말한다는 뜻입니다.

3 끼니에 주로 먹는 음식은 '주식', 끼니와 끼니 사이에 먹는 음식은 '간식'입니다. 늘 먹는 음식이 아닌 색다른 음식은 '별식'입니다.

4 채소는 주로 밭에서 기르는 농작물을 뜻하기 때문에 들이나 산에서 난 쑥, 고사리, 냉이 등은 나물로 부르는 것이 더 자연스럽습니다.

5 번듯하다는 여러 가지 뜻으로 쓰이지만 ⑤와 같이 생각이나 행동, 태도가 바르다는 뜻으로 쓸 때는 '반듯하다'가 자연스럽습니다.

6 말과 행동이 하나 되어야 한다는 뜻으로 '언행일치'를 쓸 수 있습니다.

7 말은 표현에 따라 아주 다르게 들린다는 속담으로 '말이란 아 해 다르고 어 해 다르다'가 있습니다.

8 '작심삼일'은 단단히 먹은 마음이 사흘을 가지 못한다는 뜻으로 결심이 굳지 못하거나 의지가 약한 사람에게 할 수 있는 말입니다.

9 사소한 것에 얽매이지 않고 너그러운 성격은 '대범한 성격'입니다.

10 '난형난제'는 실력이나 수준이 비슷하여 우위를 가리기 어렵다는 뜻이므로 ㉡과 같은 예가 알맞습니다.

1주 특강 사고 쑥쑥

1 (1) 스스로

(2) 용서하다

(3) 조림

2

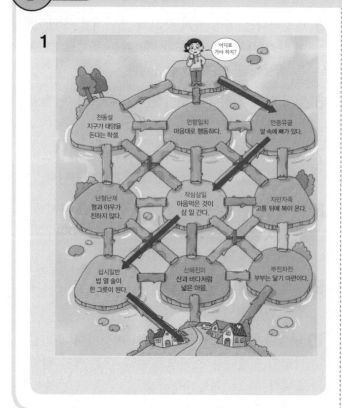

강	조					
	바	람	개	비		
	심			판	사	
		작			육	
이	기	심				채
		삼		소	식	
		일	가			

1 (1) '강요'는 억지로 시키는 것이므로 '스스로'와는 거리가 멉니다.

(2) '비난'은 잘못을 나쁘게 말하는 것이므로 '용서하다'와는 거리가 멉니다.

(3) 장아찌는 재료를 간장에 담근 반찬이므로 '조림'과는 거리가 멉니다.

2 가로 열쇠와 세로 열쇠의 정답은 다음과 같습니다.

가로 열쇠

❶ 강조 ❸ 바람개비 ❺ 판사

❼ 이기심 ❾ 일가 ❿ 소식

세로 열쇠

❷ 조바심 ❹ 비판 ❻ 사육

❽ 작심삼일 ⓫ 채식

1주 특강 논리 탄탄

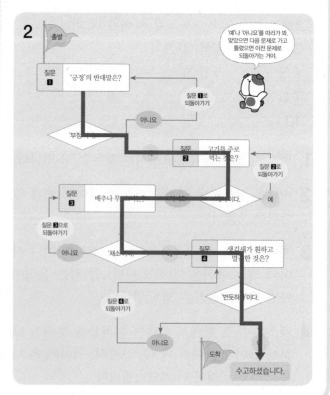

2주에는 무엇을 공부할까?

52~53쪽

1 ②

2 (1) ①, ② (2) ③, ④

3 감염

4 ③

1일 교과 어휘>국어

58~59쪽

1 ⑤　　　　　　　2 동생

3 (1) ① (2) ② (3) ②　　4 (1) 오늘 (2) 내일

5 ㉢　　　　　　　6 허송세월

7 ③

1 '시차'는 어떤 일을 하는 시간이나 시각에 차이를 두는 것을 말합니다.

- 시각: 시간의 어느 한 지점.
- 시차: 시간이나 시각의 차이.

2 '줄곧'은 '끊임없이 잇따라'의 뜻이고, '간혹'은 어쩌다가 한 번씩의 뜻이므로 동생이 가장 줄넘기

를 자주 합니다.

4 '금일'은 오늘과 바꾸어 쓸 수 있고, '명일'은 내일과 바꾸어 쓸 수 있는 말입니다.

5 '신선놀음에 도낏자루 썩는 줄 모른다'는 어떤 일에 정신이 팔려 시간 가는 줄을 모른다는 뜻이므로 ㉢의 뜻과 가장 가깝습니다.

6 세월을 헛되이 보낸 것을 이르는 말로 '허송세월'을 쓸 수 있습니다.

7 '금일 충청도 명일 경상도'는 오늘은 충청도에서 지내고 내일은 경상도에서 지낸다는 뜻으로 정처 없이 떠돌아다니는 처지를 빗대는 말입니다.

2일 생활 어휘 > 마음

64~65쪽

1 (1) 옹고집, 옆집 농부

　(2) 나이팅게일, 왕자의 동상

2 정희　　　　　　　3 ④

4 ④　　　　　　　5 ③

6 ⑤　　　　　　　7 ②

1 옹고집과 옆집 농부는 자신의 이익만을 꾀하는 이기적인 인물로 볼 수 있고, 나이팅게일과 왕자의 동상은 다른 사람을 먼저 생각하는 이타적인 인물로 볼 수 있습니다.

2 '숫기'는 활발하여 부끄러워하지 않는 기운이므로 '숫기 없다'는 활발하지 않고 부끄러움을 잘 타는 성격을 의미합니다.

3 '시샘'은 '시새움'의 준말로 '샘'과 비슷한말입니다.

4 '심통'은 마땅치 않게 여기는 나쁜 마음이므로 ④가 가장 자연스럽습니다. ①은 심통보다 '의심', ②는 '자신', ③은 '인정', ⑤는 '호기심'이 자연스럽습니다.

5 정몽주가 말한 '임'은 '고려'나 '고려 왕조'를 뜻하는 것이므로 고려 왕조를 지키고자 하는 마음입니다.

6 '알을 두고 온 새의 마음'은 두고 온 알만 걱정하는 새처럼 몹시 불안해하는 마음입니다.

7 빛나는 촛대를 보고 그냥 지나칠 수 없을 것이라는 말이므로 물건을 보면 가지고 싶은 욕심이 생긴다는 '견물생심'이 어울립니다.

3일 교과 어휘 > 과학

1 (1) 섭씨 (2) 화씨
2 (1) 가열 (2) 발열 (3) 발열 (4) 가열
3 ④　　　　　　　**4** 대류 (현상)
5 ④　　　　　　　**6** ③
7 ③

1 화씨는 섭씨보다 먼저 쓰인 온도 단위로 화씨 100도는 사람의 체온이나 더운 날씨를 나타내기에 알맞습니다.

2 '가열'은 열을 가한다는 뜻이고, '발열'은 열이 난다는 뜻입니다. 들어갈 말이 열을 더하는 것인지, 열이 난다는 것인지로 구분하여 봅니다.

3 단열은 열을 차단하는 것이고 단열재는 단열에 쓰이는 재료이므로 열이 잘 전달되지 않는 성질을 가진 물질이어야 합니다.

4 공기나 물속에서 열은 '대류 현상'을 통해 이동합니다. 그림과 설명은 공기 중의 대류 현상을 설명하고 있습니다.

> • 전도: 도체에서의 열의 이동.
> • 대류: 기체나 액체에서의 열의 이동.

5 진나라가 괵나라를 치면 입술이 없는 이와 같이 우나라도 무사하지 못할 것이라는 말이므로 입술은 괵나라를, 이는 우나라를 말합니다.

6 '불 가져오라는데 물 가져온다'는 그처럼 시키는 일과 전혀 다른 엉뚱한 일을 하는 상황에 쓰이는 속담입니다.

7 끓는 물에 찬물을 부으면 온도가 낮아져서 끓음이 줄어듭니다. '끓는 물에 냉수 부은 것 같다'는 여러 사람이 물 끓듯이 시끄럽다가 갑자기 조용해지는 것을 이르는 속담입니다.

4일 생활 어휘 > 병

1 (1) 고뿔 (2) ⑩ 오한이 났습니다
2

	전	
감	염	

　　　　　　　3 ③
4 새끼 고양이 / 수현이
5 ④　　　　　　　**6** ⑤

1 감기의 순우리말은 '고뿔'이고, '오한'은 춥고 떨리는 증상을 말합니다.

2 바이러스가 몸 안에 들어가 병을 일으키는 것은 '감염'이고, 병이 남에게 옮는 것은 '전염'입니다.

3 감기가 '발병'하여 의사가 환자를 '진단'하고 적절한 약을 의사가 '처방'한 뒤, 환자는 약을 먹으며 '투병'을 합니다.

4 동병상련은 어려운 처지에 있는 사람끼리 서로 가엾게 여기는 것을 이르는 말이므로 홀로 남겨졌다고 생각하는 수현이와 새끼 고양이의 관계를 동병상련의 처지로 볼 수 있습니다.

5 평소에는 잘 보이던 물건이 정작 필요해서 찾으려 하면 보이지 않는 경우를 두고 '쇠똥도 약에 쓰려면 없다'라는 속담을 떠올릴 수 있습니다.

6 '식자우환'은 아는 것이 병이라는 말과 비슷한 말로, 학식이 있고 배움이 많은 사람이 오히려 근심이 많다는 뜻입니다.

> ① 병 주고 약 준다: 음흉하고 교활하게 해코지한 뒤 잘해 주는 척한다.
> ② 병에는 장사 없다: 아무리 장사라도 병에 걸리면 힘을 못 쓴다.
> ④ 병 자랑은 하여라: 앓고 있는 병을 여럿에게 말해야 고칠 방법을 찾는다.

1 ④	**2** ③	**3** ③
4 ②	**5** ④	**6** ④
7 ④		

1 침탈은 침범(불법으로 침입)하여 약탈(강제로 빼앗다)하다의 뜻입니다. 침탈의 '탈' 자는 빼앗을 탈(奪) 자를 씁니다.

2 전쟁과 전투 상황에 대처하기 위한 기술과 방법을 전략이라고 합니다.

3 분쟁과 논쟁의 '쟁' 자는 다투다의 뜻입니다. 논쟁은 말이나 글로 논하여 다툰다는 뜻이므로 '논' 자는 '논의하다, 의논하다'의 뜻을 가집니다.

4 '휴전'은 전쟁을 얼마 동안 잠시 멈추는 것을 말합니다. 따라서 휴전선의 뜻으로는 ②가 가장 알맞습니다.

5 어부는 조개와 도요새가 싸우고 있는 틈을 타 이익을 얻었습니다. 어부지리에서 말하는 어부의 이익이란 이처럼 서로 다투는 두 사람과 관계없는 엉뚱한 이가 얻게 되는 이익을 뜻합니다.

6 '어부지리'는 엉뚱한 이가 이득을 얻는다는 뜻이고, '고래 싸움에 새우 등 터진다'는 아무 상관도 없는 약한 자가 피해를 입게 된다는 뜻입니다. ㉠은 엉뚱한 이가 이득을 얻고, ㉡은 엉뚱한 이가 피해를 입는다는 점에서 의미 차이가 있습니다.

> • 어부지리: 엉뚱한 어부가 이득을 얻음.
> • 고래 싸움에 새우 등 터진다: 엉뚱한 새우가 피해를 입음.

7 한 번 실수는 늘 있는 일이라는 말이므로 실수나 실패를 너무 걱정하지 말라는 뜻의 속담입니다.

1	금		**2** ③
			3 (1) 양심 (2) 본심
명	일		

4 (1) 가영, 수영 (2) 선희, 영우
5 (1) 발열 (2) 가열 (3) 전도 (4) 대류
6 ⑤ 　　　　　　　　**7** ②
8 (1) 불안해하는 마음 (2) 먹고 싶은 마음
9 ③ 　　　　　　　　**10** ②

1 금일은 오늘, 명일은 내일입니다.
2 '줄곧'은 끊임없이 계속의 뜻이고, '간혹'은 어쩌다가 한 번의 뜻입니다.
3 옳은 것, 바른 것을 추구하는 마음이 '양심'이고, '본심'은 원래부터 가지고 있는 마음입니다.
4 '숫기'는 활발한 기운의 뜻이므로 '숫기 있다'는 활발하고 부끄러움이 없는 성격을, '숫기 없다'는 소심하고 부끄러움이 많은 성격을 뜻합니다.

5 '가열'은 열을 가하는 것, '발열'은 열이 나는 것을 말합니다. 도체에서 열의 이동은 '전도'이고, 액체와 기체에서 열의 이동은 '대류'입니다.

6 동물과 동물 사이에서 병이 옮기는 것도 '전염'입니다.

7 분쟁과 논쟁에 쓰이는 '쟁' 자는 다투다의 뜻이 있습니다.

8 알을 두고 온 새의 마음은 알이 걱정되어 불안해하는 마음이고, 콩밭에만 가 있는 비둘기의 마음은 콩만 먹고 싶어 하는 마음입니다.

9 [속담 A]에서 새우는 고래 사이에 끼어 피해를 보고 [그림 B]에서 강아지도 황소 사이에 끼어 피해를 보고 있습니다. 새우와 강아지는 비슷한 처지에서 피해를 보고 있으므로 같은 병을 앓는 사람끼리 서로 가엾게 여긴다는 뜻의 '동병상련'을 떠올릴 수 있습니다.

2주 특강 사고 쑥쑥

1 (1) 고뿔 (2) 시샘 (3) 대류

2

	①시	기	상	②조			
	차			바			
		③이		심			
	④숫	기			⑥가		⑦발
		심		⑤이	열	치	열
⑧전	⑨투		⑩임	⑪전	무	퇴	
	병			략			

1 (1) 고뿔은 감기의 순우리말입니다.

(2) 자기보다 잘되거나 나은 사람을 공연히 미워하고 싫어하는 것이 '시샘'입니다.

(3) 액체나 기체에서 열은 대류 현상을 통해 이동합니다.

2 가로 열쇠와 세로 열쇠의 정답은 다음과 같습니다.

> **가로 열쇠**
> ① 시기상조 ④ 숫기 ⑤ 이열치열
> ⑧ 전투 ⑩ 임전무퇴

> **세로 열쇠**
> ① 시차 ② 조바심 ③ 이기심 ⑥ 가열
> ⑦ 발열 ⑨ 투병 ⑪ 전략

2주 특강 논리 탄탄

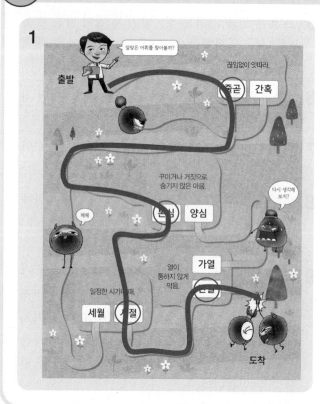

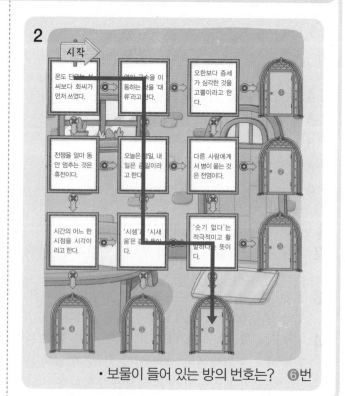

• 보물이 들어 있는 방의 번호는? ⑥번

3주에는 무엇을 공부할까?

94~95쪽

1 ①

2 ③

3 (1) 안 (2) 공간

4 ②

1일 교과 어휘 > 국어

100~101쪽

1 (1) 조바심 (2) 경솔 (3) 성마르(다), 느긋해(다)

2 ③　　　　3 ②　　　　4 ④

5 (1) ① (2) ②　6 (2) ○　　7 (2) ○

8 ③

1 (1)의 문장은 조마조마하여 마음을 졸이는 상황을 나타내므로 '조바심'이 알맞습니다. (2)의 문장은 조심성 없이 말하는 경우를 나타내므로 '경솔'이 알맞습니다. (3)의 경우, 앞부분은 '재촉하다'와 어울리도록 '성마르다'를 쓰고, 뒷부분은 '기다리다'와 어울리도록 '느긋하다'를 쓰는 것이 알맞습니다.

2 '말이나 태도가 가볍지 않고 조심스럽다.'는 뜻을 가진 낱말은 '신중하다'입니다.

3 빈칸에 공통으로 들어가기에 알맞은 낱말은 '일상적인 마음'을 뜻하는 '평상심'입니다.

4 재빠르고 날래게 여러 가지 일을 신속하게 해낸 것으로 보아, '빠릿빠릿하다'라는 낱말이 어울립니다.

5 토끼에게 속아 꼬리를 개울물에 담근 채 골탕을 먹은 호랑이는 '어리숙한' 성격을, 무서운 호랑이에게 겁먹지 않고 호랑이를 보기 좋게 따돌린 토끼는 '뱃심이 좋은' 성격을 가진 것으로 볼 수 있습니다.

6 아무리 급해도 꼭 갖추어야 할 것은 갖추어야 일을 할 수 있다는 뜻을 가진 속담은 '아무리 바빠도 바늘허리 매어 쓰지는 못한다'입니다.

7 아무리 일러 주어도 알아듣지 못하거나 효과가 없는 경우에 쓰는 속담은 '쇠귀에 경 읽기'입니다.

8 조심하라는 내용으로 보아, '마음이 나쁘다'는 뜻의 관용어인 '뱃속이 검다'가 알맞습니다.

2일 생활 어휘 > 식사

106~107쪽

1 (1) 수저 (2) 알갱이 (3) 껍질　　2 알맹이

3 (1) 껍데기 (2) 껍질 (3) 껍데기　4 받쳐

5 ②　　　　　6 (1) ② (2) ①　7 ③

1 '네 벌'이라는 말과 함께 쓰려면 '숟가락'이 아니라 숟가락과 젓가락을 함께 이르는 말인 '수저'를 써야 합니다.

2 '물건의 껍데기나 껍질을 벗기고 남은 속 부분.'을 뜻하는 낱말은 '알맹이'입니다.

3 (1)은 조개껍데기, (2)는 사과 껍질, (3)은 달걀 껍데기입니다.

4 빈칸에는 '구멍이 뚫린 물건 위에 국수나 야채 따위를 올려 물기를 빼다.'라는 뜻인 '받쳐'가 알맞습니다.

5 운동을 한 지 얼마 안 되어 큰 효과를 기대할 때 어울리는 속담은 '첫술에 배부르랴'입니다. 이는 어떤 일을 할 때 단번에 효과가 나거나 만족할 만한 결과를 얻지 못하는 경우에 쓸 수 있습니다.

6 (1)은 뭔가를 먹고 싶은 느낌이 드는 경우이므로 '입이 궁금하다'가, (2)는 음식을 가리고 잘 먹지 않는 상황이므로 '입이 짧다'가 어울립니다.

7 '그럴 형편이 안 되는 사람이 이것저것 따지는' 경우에 어울리는 속담은 '찬밥 더운밥 가리다'입니다.

3일 교과 어휘 > 과학

> 1 ②　　　2 (1) 행성 (2) 자외선 (3) 운석
> 3 천체　　　4 (1) ② (2) ①　5 ③
> 6 (1) ② (2) ①　7 ①

1 '태양, 지구, 달 등 천체를 포함하고, 무한한 시간과 만물을 포함하는 끝없는 공간.'을 뜻하는 낱말은 '우주'입니다.

2 (1)의 문장에는 중심 별의 주위를 도는 천체인 '행성'이 알맞습니다. (2)의 문장에는 태양에서 나오는 빛 중에서 눈에 보이지 않고 파장이 짧으며 여름철에 강해지는 빛인 '자외선'이 알맞습니다. (3)의 문장에는 우주에서 지구의 대기권 안으로 들어와 다 타지 않고 땅에 떨어진 물질인 '운석'이 알맞습니다.

3 항성, 행성, 혜성 등을 모두 포함하는 말은 '천체'입니다.

4 태양을 중심으로 타원이나 포물선을 그리며 도는, 꼬리가 달린 천체를 '혜성'이라고 하고, 보이는 위치를 바꾸지 아니하고 별자리를 구성하며 스스로 빛을 내는 별을 '항성'이라고 합니다.

5 집 나간 아이들이 무슨 사고라도 당했다면 사람들이 모두 놀랐을 것이 예상되므로, 이런 경우 세상 사람들이 놀란다는 내용을 뜻하는 '경천동지'라는 말이 어울립니다.

6 (1)은 일정하게 머무는 곳이 없이 바깥에서 아무 데서나 잠을 자며 떠돌아다니는 것을 뜻하는 '하늘을 지붕 삼다'라는 표현이 어울립니다. (2)는 큰 충격을 받아 정신이 아찔하게 되는 경우에 쓸 수 있는 '하늘이 노래지다'라는 표현이 어울립니다.

7 해가 장대 세 개의 높이로 올랐다는 뜻으로, 해가 높이 솟아 날이 환하게 밝았음을 뜻하는 사자성어는 '일출삼간'입니다.

4일 생활 어휘 > 만남

> 1 배웅　　　2 (1) 작별 (2) 우연 (3) 필연
> 3 ③　　　　4 (1) ② (2) ①　5 ①
> 6 (1) ① (2) ②　7 ⑤

1 떠나가는 사람을 따라 나가서 작별 인사를 하여 보내는 것을 뜻하는 '배웅'은 '마중'의 반대말입니다.

2 (1)의 문장에는 '서로 헤어질 때 나누는 인사'를 뜻하는 '작별'이 알맞습니다. (2)의 문장에는 마땅한 이유 없이 어쩌다가 일어나는 일을 뜻하는 '우연'이 알맞습니다. (3)의 문장에는 어떤 일의 결과가 반드시 그렇게밖에 될 수 없음을 뜻하는 '필연'이 알맞습니다.

3 다른 곳에 있는 사람에게 소식을 전하는 것을 '기별'이라고 합니다.

4 '참석'은 회의나 모임 등의 자리에 가서 함께하는 경우에 쓰이므로, '행사에 직접 참석'과 같이 쓰는 것이 어울리고, '참여'는 여러 사람이 같이 하는 어떤 일에 끼어들어 함께 일하는 경우에 쓰이므로 '온실가스 줄이기 운동에 참여'와 같이 쓰는 것이 어울립니다.

5 '가는 날이 장날'은 어떤 일을 하려고 하는데 마침 그때 생각하지도 않은 일이 생긴다는 뜻의 속담입니다. 이 이야기에서는 할아버지가 할머니에게 이야기를 하려고 하는데 마침 그때 도둑이 들어온 상황이므로 '가는 날이 장날'이라는 속담이 어울립니다.

6 만난 사람은 반드시 헤어지게 되어 있다는 뜻의 사자성어는 '회자정리'이고, 학처럼 길게 목을 빼고 간절히 기다린다는 뜻의 사자성어는 '학수고대'입니다.

7 꺼리고 싫어하는 대상을 피할 수 없는 곳에서 공교롭게 만나는 경우 '원수는 외나무다리에서 만난다'라는 속담을 씁니다.

1 ④ 2 (1) ① (2) ② 3 모국
4 (1) 인권 (2) 주권 (3) 영해 (4) 조국
5 ⑤ 6 (1) ② (2) ①
7 (1) 돈 (2) 사람

1 한 나라의 땅을 가리키는 말로, 한 나라의 통치권이 미치는 지역은 '영토'입니다.

2 나라를 세우는 것은 '건국', 건물이나 시설을 새로 짓는 것은 '건설'입니다.

3 자기가 태어난 나라를 뜻하는 말로, 흔히 외국에 있는 사람이 자기 나라를 가리킬 때 쓰는 말은 '모국'입니다.

4 (1)의 문장에는 인간으로서 당연히 가지는 기본적인 권리를 뜻하는 '인권'이 알맞고, (2)의 문장에는 한 나라의 의사나 정책을 결정하는 권력을 뜻하는 '주권'이 알맞습니다. (3)의 문장에는 한 나라의 통치권이 미치는 바다의 영역을 뜻하는 '영해'가 알맞고, (4)의 문장에는 조상 때부터 대대로 살던 나라를 뜻하는 '조국'이 알맞습니다.

5 인도의 카스트 제도를 다룬 글과 관련된 속담은, 사람은 누구나 태어날 때부터 권리나 의무가 평등하다는 뜻을 가진 '사람 위에 사람 없고 사람 밑에 사람 없다'입니다.

6 사람이 태어나면서부터 가지고 있는 권리를 뜻하는 사자성어는 '천부 인권'이고, 나라를 새로 세울 때 큰 공로가 있는 신하를 뜻하는 사자성어는 '개국 공신'입니다.

7 '사람 나고 돈 났지 돈 나고 사람 났나'라는 속담이 뜻하는 것은 '아무리 돈이 귀중하다 해도 사람보다 더 귀중할 수는 없다.'는 것입니다.

누구나 100점 TEST

1 ③ 2 ② 3 ②
4 ③ 5 (1) ② (2) ① (3) ③
6 ④ 7 ④ 8 ⑤
9 (1) 필연 (2) 배웅 (3) 경솔 (4) 느긋 10 ④

1 참을성이 없고 성질이 급한 사람을 가리키는 말로 알맞은 것은 '성마르다'입니다.

2 무슨 일을 결정할 때 여러 가지를 생각하고 꼼꼼하게 따져 보는 성격은 '신중한' 성격입니다.

3 어떤 일에 대해 아무리 여러 번 일러 주거나 가르쳐 주어도 소용없는 경우에 알맞은 속담은 '쇠귀에 경 읽기'입니다.

4 오렌지와 같이 부드러운 물체의 겉 부분을 가리킬 때에는 '껍질'을 쓰는 것이 알맞고, 오렌지의 껍질을 까서 나오는 속 부분을 가리키는 말로는 '알맹이'가 알맞습니다.

5 마음속에 나쁜 생각을 가진 경우에 쓰는 관용어는 '뱃속이 검다', 싫어하는 음식이 많고 적게 먹는 경우에 쓰는 관용어는 '입이 짧다', 큰 충격을 받아 정신이 아찔해진 경우에 쓰는 관용어는 '하늘이 노래지다'입니다.

6 눈에 보이지 않으며 열 작용과 투과력이 강해 의료 기기에 이용되는 전자기파는 '적외선'입니다.

7 '천체'는 우주에 있는 모든 물체, 즉 항성, 행성, 위성, 혜성, 인공위성 등을 통틀어 가리키고, '우주'는 그런 천체를 포함하는 공간을 말합니다.

8 대화에 나오는 노인이 집도 절도 없이 공원 의자에서 지내는 것으로 보아, 일정하게 머무는 곳이 없이 아무 데서나 잠을 자며 떠돌아다니는 것을 뜻하는 '하늘을 지붕 삼다'라는 말이 어울립니다.

9 '우연'의 반대말은 '필연', '마중'의 반대말은 '배웅', '신중하다'의 반대말은 '경솔하다', '성마르다'의 반대말은 '느긋하다'입니다.

10 하늘이 부여한 인간의 권리라는 뜻으로, 인간이 태어나면서부터 가지고 있는 권리를 가리키는 말은 '천부 인권'입니다.

3주 특강 사고 쑥쑥

1

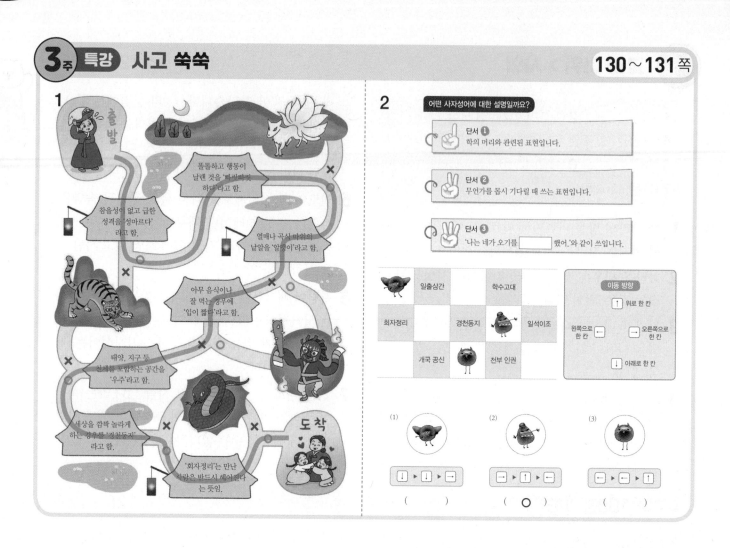

2 어떤 사자성어에 대한 설명일까요?

단서 **1**
학의 머리와 관련된 표현입니다.

단서 **2**
무언가를 몹시 기다릴 때 쓰는 표현입니다.

단서 **3**
'나는 네가 오기를 [   ] 했어.'와 같이 쓰입니다.

	일출삼간		학수고대	
회자정리		경천동지		일석이조
	개국 공신		천부 인권	

이동 방향
↑ 위로 한 칸
왼쪽으로 한 칸 ←
→ 오른쪽으로 한 칸
↓ 아래로 한 칸

(1) ↓ ▸ ↓ ▸ ←
( )

(2) → ▸ ↑ ▸ ←
(○)

(3) ← ▸ ← ▸ ↑
( )

4주에는 무엇을 공부할까?

134～135쪽

1 ②

2 ②, ③

3 ③

4 (1) ② (2) ①

정답 과 풀이

1일 **교과 어휘 > 국어**

140～141쪽

1 시나리오 **2** ① **3** ④
4 (1) ② (2) ① **5** (1) ② (2) ① **6** ②

1 '영화를 만들기 위하여 쓴 각본.'은 시나리오입니다. 시나리오는 가상으로 꾸며 보는 어떤 사건의 과정이나 그로 인한 결과를 뜻하기도 합니다.

2 영화를 화면으로 관객에게 보이는 것은 '공연'이 아니라 '상영'이라고 합니다.

3 연극을 위해 집필한 것은 '희곡', 슬픈 결말을 맞는 이야기는 '비극'입니다.

4 영화나 연극 작품에서 어떤 역할에 해당하는 것은 '배역'이고 그 배역을 맡은 현실의 인물은 '배우'입니다. 따라서 '음악 교사 역할'의 ㉠은 '배역'을 뜻하고, 배우 이름인 ㉡은 '배우'를 가리킵니다.

5 ㉠에는 선생님이 없을 때 엄석대가 군림하는 모습에 알맞은 '호랑이 없는 골에 토끼가 왕 노릇 한다'가, ㉡에는 의지할 데가 없어진 엄석대의 모습에 알맞은 '광대 끈 떨어졌다'가 어울립니다.

6 여러 가지 면에서 재주와 능력이 뛰어난 것을 말하는 내용과 관련된 사자성어는 '다재다능'입니다.

2일 **생활 어휘 > 하루**

146～147쪽

1 (1) 칠흑 (2) 일몰 (3) 정오 **2** 자정
3 ④ **4** ㉣→㉠→㉡→㉢
5 ③ **6** ⑤ **7** ③ **8** (2) ○

1 (1)에는 옻칠을 한 것처럼 검고 광택이 있는 빛을 뜻하는 '칠흑'이, (2)에는 해가 지는 것을 뜻하는 '일몰'이, (3)에는 낮 열두 시를 뜻하는 '정오'가 쓰이는 것이 알맞습니다.

2 '밤 열두 시'를 뜻하는 낱말은 '자정'입니다.

3 '어슴푸레'는 빛이 약하거나 희미한 모양을 뜻하는 낱말입니다.

4 '일출'은 해가 뜸, '백주'는 환하게 밝은 낮, '일몰'은 해가 짐, '야밤'은 깊은 밤을 나타내므로, 하루 시간의 흐름에 따라 낱말을 늘어놓으면 '일출, 백주, 일몰, 야밤'의 순서가 됩니다.

5 사람의 생애나 나라의 운명 따위가 점점 약해져 마지막에 다다름을 나타내는 말은 '황혼이 깃들다'입니다.

6 이 이야기에 나오는 송나라 사람은 어떤 일이 빨리 되기를 바라며 성급하게 서두르는, 아주 성미 급한 사람입니다. 이와 관련 있는 속담은 '새벽달 보자고 초저녁부터 기다린다'입니다.

7 '낮이나 밤이나'는 '늘, 항상, 언제나, 밤낮없이' 등과 바꾸어 쓸 수 있습니다. '때때로'는 '경우에 따라서 가끔'이라는 뜻을 가지고 있습니다.

8 '해가 서쪽에서 뜨다'는 전혀 예상 밖의 일이나 절대로 있을 수 없는 희한한 일을 하려고 하거나 하였을 경우를 이르는 속담입니다. 따라서 늘 지각만 하던 영후가 어느 날 갑자기 새벽에 등교를 한 경우에 이 속담이 어울립니다. (1)은 '제 버릇 개 줄까', (3)은 '등잔 밑이 어둡다', (4)는 '찬밥 더운 밥 가리다'와 같은 속담이 어울립니다.

3일 교과 어휘 > 과학

1 용해, 용액 2 (1) ②, ㉮ (2) ①, ㉯
3 (2) ○ 4 ③ 5 ③
6 ① 7 ②

1 설탕을 물에 녹이는 것을 '용해'라고 하고, 물과 설탕이 고르게 섞인 액체를 설탕물 '용액'이라고 합니다. 따라서 이 사진의 내용을 설명하려면 '설탕을 물에 용해시켜 설탕물 용액을 만드는 과정'으로 표현해야 합니다.

2 설탕물 용액을 만들 때 녹이는 물질인 물을 '용매'라고 하고, 녹는 물질인 '설탕'을 '용질'이라고 합니다.

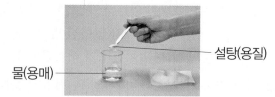

물(용매) ─── 설탕(용질)

3 두 개 이상의 원소가 만나 화학 작용을 통해 새롭게 만들어진 물질을 '화합물'이라고 합니다.

4 화합물인 물을 산소와 수소로 나누는 것은 '분해'라고 하고, 혼합물인 좁쌀과 쌀을 나누는 것은 '분리'라고 합니다.

5 물과 기름은 성질이 달라서 서로 섞이지 않습니다. 이와 같이 서로 어울리지 못하여 겉도는 사이를 '물과 기름'이라고 표현합니다. 따라서 빈칸에 공통으로 들어갈 표현은 '물과 기름'입니다.

6 자신은 건강해서 절대 아프지 않을 거라고 장담하는 친구에게 들려줄 만한 속담은 무슨 일이든 절대 탈이 생기지 않는다고 장담할 수는 없다는 뜻의 '소금도 곰팡 난다'입니다.

7 '아무 맛이 없는 물처럼 싱겁다.'라는 뜻을 가진 표현은 '물에 물 탄 것 같다'입니다.

4일 생활 어휘 > 맛

1 (1) 알싸하다 (2) 짭조름하다 2 ⑤
3 ③ 4 (1) ① (2) ② 5 ③
6 (1) ① (2) ② 7 ⑤

1 (1)은 코끝이 찡하고 혀끝이 얼얼하다고 하였으므로, 매운맛이나 독한 냄새 따위로 코 속이나 혀끝이 알알함을 나타내는 '알싸하다'가 알맞고, (2)는 갓 지은 쌀밥에 장조림을 얹어 먹으니 밥도둑이 따로 없다고 하였으므로 조금 짠맛이 있다는 뜻을 나타내는 '짭조름하다'가 알맞습니다.

2 케이크와 푸딩의 맛을 나타내기에 알맞은 말은 '달착지근하다'입니다.

3 맛이나 냄새 따위가 조금 시면서도 떫다는 뜻을 가진 낱말은 '시금털털하다'로, 막걸리나 덜 익은 감의 맛을 나타내기에 알맞습니다.

4 (1) 입맛이 확 살아나게 만드는 된장찌개의 맛을 나타내기에 알맞은 낱말은 '감칠맛'입니다. (2) 가볍고 산뜻한 맛을 나타내기에 알맞은 낱말은 '얕은맛'입니다.

5 이 이야기의 내용은 아름다운 외모보다 내면의 아름다움이 더 값진 것임을 나타냅니다. 이와 관련 있는 속담은 겉모양은 보잘것없으나 내용은 훨씬 훌륭함을 이르는 말인 '뚝배기보다 장맛이 좋다'입니다.

6 고생 끝에 즐거움이 온다는 뜻의 사자성어는 '고진감래'이고, 자기 비위에 맞으면 좋아하고 그렇지 않으면 싫어함을 나타내는 사자성어는 '감탄고토'입니다.

7 '부뚜막의 소금도 집어넣어야 짜다'는 아무리 좋은 조건을 갖추었거나 쉬운 일도 직접 실행하지 않으면 아무런 의미가 없음을 비유적으로 이르는 속담입니다.

5일 교과 어휘 > 사회 164~165쪽

1 ③	2 (1) 수도 (2) 수도권
3 ⑤	4 (1) ②, ㉮ (2) ①, ㉯
5 ④	6 (1) ① (2) ② 7 ③

1 그림은 태어난 아이의 수가 적음을 나타내는 내용입니다. 이러한 현상과 관련 있는 낱말은 아기를 낳는 비율이 낮음을 나타내는 '저출산'입니다.

2 '수도'는 한 나라의 중앙 정부가 있는 도시이고, '수도권'은 수도를 중심으로 이루어진 대도시권, 즉 수도를 포함하여 수도 근처의 지역을 말합니다.

3 산업과 기술이 발달하여 생산이 기계화되며 교통, 통신이 발달하고, 인구가 도시에 집중하는 현상을 나타내는 낱말은 '산업화'입니다.

4 (1) 일정한 지역의 넓이에 대한 인구수의 비율을 나타내는 말은 '인구 밀도'이며, 이 말은 인구 밀도가 '높다' 혹은 '낮다'와 같이 표현합니다.
(2) 인구가 일정한 범위에 나뉘어 흩어져 있는 상태를 나타내는 말은 '인구 분포'이며, 이 말은 '연령별 인구 분포' 혹은 '성별 인구 분포', '직업별 인구 분포'와 같은 말로 쓰입니다.

5 '송곳 세울 틈도 없다'는 속담은 발 들여놓을 데가 없을 정도로 사람들이 꽉 들어찬 경우에 쓰입니다.

6 (1) 구체적인 계획이나 방법도 없이 막연하게 일을 하려는 경우에 '서울 가서 김 서방 찾기'라는 속담이 어울립니다. (2) 정당한 방법이 아니더라도 목적만 달성하면 된다고 생각하는 경우에 '모로 가도 서울만 가면 된다'라는 속담이 어울립니다.

7 '사람과 산은 멀리서 보는 게 낫다'라는 속담은 사람을 가까이 사귀면 멀리서 볼 때 안 보이던 결점이 드러나 실망하게 된다는 뜻을 담고 있습니다.

누구나 100점 TEST 166~167쪽

1 (1) ① (2) ② (3) ① (4) ②	2 ⑤
3 ④ 4 ⑤	5 (1) ② (2) ① (3) ③
6 (1) ③ (2) ② (3) ① (4) ④	7 (1) 물 (2) 소금
8 (1) ㉠ (2) ㉢ 9 (2) ○	10 ③

1 '희곡, 공연'은 '연극'과 관련이 있는 낱말이고, '상영, 시나리오'는 '영화'와 관련이 있는 낱말입니다.

2 '재주와 능력이 뛰어난' 것을 가리키는 사자성어는 '다재다능'입니다.

3 '어슴푸레'는 빛이 약하거나 희미한 모양을 가리키는 말이므로 ④번은 알맞게 쓰인 문장입니다.

4 '분해'는 여러 부분으로 결합된 것을 낱낱으로 나누는 것을 가리키고 '분리'는 서로 나뉘어 떨어지는 것을 가리키므로 서로 반대말이 아닙니다.

5 (1)과 같이 전혀 예상 밖의 일을 하는 경우에 '해가 서쪽에서 뜨다'를, (2)와 같이 의지할 데가 없어지는 경우에 '광대 끈 떨어졌다'를, (3)과 같이 겉모양은 보잘것없으나 내용은 훨씬 훌륭한 경우에 '뚝배기보다 장맛이 좋다'를 쓸 수 있습니다.

6 설탕을 물에 녹여서 설탕물을 만드는 상황에서 '설탕'은 '용질', '물'은 '용매', '설탕물'은 '용액'이라고 하고, 용질을 용매에 녹이는 것은 '용해'라고 합니다.

7 (1) 서로 어울리지 못하여 겉도는 사이를 '물과 기름'이라고 하고, 무슨 일이든 거기에는 반드시 그렇게 된 까닭이 있음을 뜻하는 말은 '소금 먹은 놈이 물켠다'입니다. (2) 무슨 일이든 절대 탈이 생기지 않는다고 장담하기 어려움을 뜻하는 말은 '소금도 곰팡 난다'이고, 아무리 쉬운 일도 직접 실행해야 의미가 있음을 뜻하는 말은 '부뚜막의 소금도 집어넣어야 짜다'입니다.

8 고추냉이의 맛은 '알싸하다'로, 씀바귀의 맛은 '씁쓰름하다'로 표현할 수 있습니다.

9 빈칸에는 일정한 지역의 넓이에 대한 인구수의 비율을 뜻하는 '인구 밀도'가 알맞습니다.

10 발 들여놓을 데가 없을 만큼 사람들이 많은 상황에 쓰이는 속담은 '송곳 세울 틈도 없다'입니다.

4주 특강 · 논리 탄탄

1

1	공연을 목적으로 하는 연극의 대본은 '시나리오'이다.	2	제주와 능력이 여러 가지로 많음을 가리키는 말은 감탄고토이다.	3	'일출'과 '일몰'은 뜻이 서로 반대되는 낱말이다.
4	빛이 환하게 비치는 모양을 가리키는 말은 어슴푸레이다.	5	서로 어울리지 못하여 섭도는 사이를 '물과 기름' 같다고 한다.	6	어떤 물질을 녹이는 데 쓰이는 액체를 '용매'라고 한다.
7	음식물이 입에 당기는 맛깔스러운 마음 감칫맛'이라고 한다.	8	아주 어둡고 깊은 밤을 백주라고 한다.	9	고생 끝에 즐거움이 온다는 뜻을 가진 말은 고진감래이다.

빙고

1	2	③
4	⑤	⑥
⑦	8	⑨

(2)줄

2

(1) ♥⑩ ☆⑨☆의 반대말은?

해독한 암호: **희극**

(2) ■⑥■ ■⑪■에 녹아 있는 물질을 가리키는 말은?

해독한 암호: **용질**

(3) ♫⑦ ★⑤를 중심으로 이루어진 대도시권을 가리키는 말은?

해독한 암호: **수도권**

암호 해독표

기호	자음		번호	모음
☆	ㄱ		①	ㅏ
◆	ㄴ		②	ㅑ
★	ㄷ		③	ㅓ
◇	ㄹ		④	ㅕ
□	ㅁ		⑤	ㅗ
♥	ㅂ		⑥	ㅛ
♫	ㅅ		⑦	ㅜ
■	ㅇ		⑧	ㅠ
♡	ㅈ		⑨	ㅡ
♧	ㅊ		⑩	ㅣ
♠	ㅋ		⑪	ㅐ
♣	ㅌ		⑫	ㅒ
♤	ㅍ		⑬	ㅔ
▣	ㅎ		⑭	ㅖ

매일 조금씩 **공부력** UP!

똑똑한 하루
시리즈

쉽다!
하루 10분, 주 5일 완성의
커리큘럼으로 쉽고 재미있게
초등 기초 학습능력 향상!

재미있다!
교과서는 물론, 생활 속에서 쉽게
접할 수 있는 다양한 소재를 활용해
아이 스스로도 재미있는 학습!

똑똑하다!
초등학생에게 꼭 필요한 상식과 함께
학습 만화, 게임, 퍼즐 등을 통한
'비주얼 학습'으로 스마트한 공부 시작!

더 새롭게! 더 다양하게! 전과목 시리즈로 돌아온 '똑똑한 하루'
*순차 출시 예정

국어 (예비초 ~ 초6)

예비초~초6 각 A·B
교재별 14권

예비초: 예비초 A·B
초1~초6: 1A~4C
14권

영어 (예비초 ~ 초6)

초3~초6 Level 1A~4B
8권

Starter A·B
1A~3B
8권

수학 (예비초 ~ 초6)

초1~초6 1·2학기
12권

예비초~초6 각 A·B
14권

초1~초6 각 A·B
12권

**봄·여름
가을·겨울 (초1~ 초2)**

봄·여름·가을·겨울
2권 / 8권

안전 (초1~ 초2)

초1~초2
2권

사회·과학 (초3~ 초6)

학기별 구성
사회·과학 각 8권

정답은
이안에
있어!

똑 똑 한

하루
어휘

배움으로 행복한 내일을 꿈꾸는
천재교육 커뮤니티 안내 . . . .

교재 안내부터 구매까지 한 번에!
천재교육 홈페이지

천재교육 홈페이지에서는 자사가 발행하는 참고서,
교과서에 대한 소개는 물론 노서 구매도 할 수 있습니다.
회원에게 지급되는 별을 모아 다양한 상품 응모에도
도전해 보세요.

구독, 좋아요는 필수! 핵유용 정보 가득한
천재교육 유튜브 <천재TV>

신간에 대한 자세한 정보가 궁금하세요?
참고서를 어떻게 활용해야 할지 고민인가요?
공부 외 다양한 고민을 해결해 줄 채널이 필요한가요?
학생들에게 꼭 필요한 콘텐츠로 가득한 천재TV로 놀러 오세요!

다양한 교육 꿀팁에 깜짝 이벤트는 덤!
천재교육 인스타그램

천재교육의 새롭고 중요한 소식을 가장 먼저 접하고 싶다면?
천재교육 인스타그램 팔로우가 필수!
누구보다 빠르고 재미있게 천재교육의 소식을 전달합니다.
깜짝 이벤트도 수시로 진행되니 놓치지 마세요!

Chunjae Makes Chunjae

▼

[똑똑한 하루 어휘] 5단계 A

편집개발	김동렬, 엄은경
디자인총괄	김희정
표지디자인	윤순미, 안채리
내지디자인	박희춘, 이혜미
일러스트	위희경, 박종호
제작	황성진, 조규영

발행일	2021년 12월 15일 초판 2023년 1월 15일 2쇄
발행인	(주)천재교육
주소	서울시 금천구 가산로9길 54
신고번호	제2001-000018호
고객센터	1577-0902

※ 정답 분실 시에는 천재교육 교재 홈페이지에서 내려받으세요.

※ KC 마크는 이 제품이 공통안전기준에 적합하였음을 의미합니다.

※ 주의

책 모서리에 다칠 수 있으니 주의하시기 바랍니다.

부주의로 인한 사고의 경우 책임지지 않습니다.

8세 미만의 어린이는 부모님의 관리가 필요합니다.

#하루에_조금씩
#쑥쑥_크는
#어휘력 #사고력

**똑똑한
하루 어휘**